圖解 一寫就成真！
神奇高效手帳筆記術

手帳という武器をカバンにしのばせよう

【手帳達人、筆記治療師】
佐藤惠 著
蔡麗蓉 譯

前言

四色手帳整理術，從此改變你的人生

成功、提升效率、縮短時間、善於整理、加強溝通能力、手帳特輯……在你的書櫃上，是不是擺了一大堆這類主題的書籍呢？

如果你的答案是肯定的，就要多加注意了，因為這些書就和「瘦不下來的減肥書」沒什麼兩樣，因為一時感到新鮮，忍不住買來看，看完之後覺得「好像是這樣沒錯耶！」，但事實上你卻什麼都沒有改變。唯有付諸「**行動**」的人，**才能有所收穫**，而且有所收穫的人，一定會使用「手帳」。

你有自信，能好好善用自己的手帳嗎？仔細回想你紀錄手帳的方式——

「預定行程，都寫在公司的日曆上」，如果你是這樣子的人，就像不佩刀上戰場一樣。

「雖然有手帳，但大多是空白的」，如果你是這樣子的人，就像槍裡沒裝子彈一樣。雖然有手帳，但在必要時完全派不上用場，頂多只能當作裝飾而已。

月計畫表——填寫「與他人的約會」為主

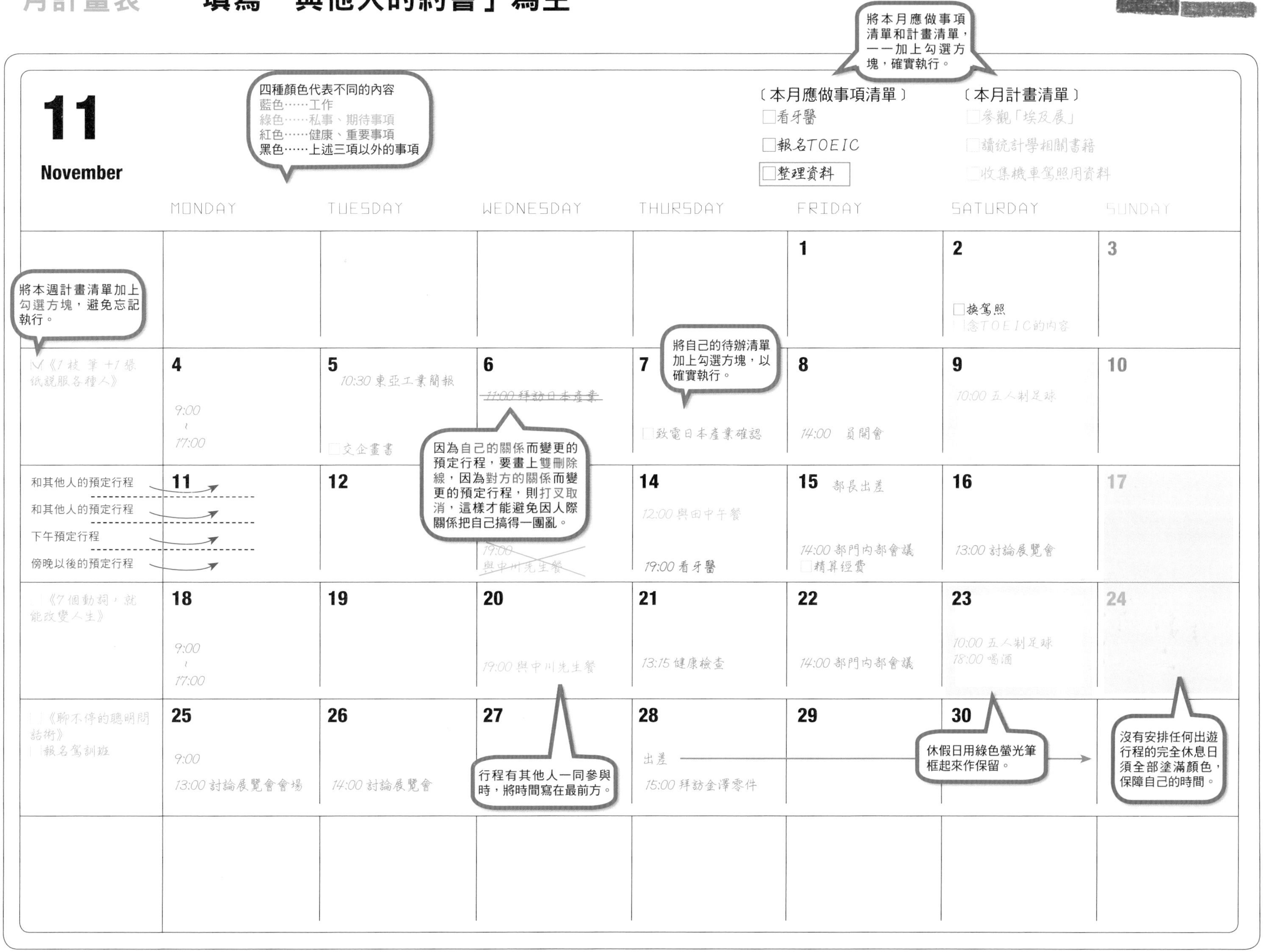

將本月應做事項清單和計畫清單，一一加上勾選方塊，確實執行。
11
November
四種顏色代表不同的內容
藍色……工作
綠色……私事、期待事項
紅色……健康、重要事項
黑色……上述三項以外的事項
〔本月應做事項清單〕
□看牙醫
□報名TOEIC
□整理資料
〔本月計畫清單〕
□參觀「埃及展」
□讀統計學相關書籍
□收集機車駕照用資料
MONDAY
TUESDAY
WEDNESDAY
THURSDAY
FRIDAY
SATURDAY
SUNDAY
1
2
□換駕照
□念TOEIC的內容
3
將本週計畫清單加上勾選方塊，避免忘記執行。
《1枝筆+1張紙說服各種人》
4
9:00 ~ 17:00
5
10:30 東亞工業簡報
□交企畫書
6
11:00 拜訪日本產業
因為自己的關係而變更的預定行程，要畫上雙刪除線，因為對方的關係而變更的預定行程，則打叉取消，這樣才能避免因人際關係把自己搞得一團亂。
7
將自己的待辦清單加上勾選方塊，以確實執行。
□致電日本產業確認
8
14:00 員開會
9
10:00 五人制足球
10
和其他人的預定行程
和其他人的預定行程
下午預定行程
傍晚以後的預定行程
11
12
19:00 與中川先生餐
14
12:00 與田中午餐
19:00 看牙醫
15
部長出差
14:00 部門內部會議
□精算經費
16
13:00 討論展覽會
17
□《7個動詞，就能改變人生》
18
9:00 ~ 17:00
19
20
19:00 與中川先生餐
21
13:15 健康檢查
22
14:00 部門內部會議
23
10:00 五人制足球
18:00 喝酒
24
□《聊不停的聰明問話術》
□報名駕訓班
25
9:00
13:00 討論展覽會會場
26
14:00 討論展覽會
27
行程有其他人一同參與時，將時間寫在最前方。
28
出差
15:00 拜訪金澤零件
29
30
休假日用綠色螢光筆框起來作保留。
沒有安排任何出遊行程的完全休息日須全部塗滿顏色，保障自己的時間。

裁切線

[redacted]

週計畫表——寫行程表細節、自己想做的事為主

本月可用額度　80000圓

> 將每月可用額度記上去，以方便金錢管理

11
November

	4 MONDAY	5 TUESDAY	6 WEDNESDAY	7 THURSDAY	8 FRIDAY	9 SATURDAY	10 SUNDAY
			簡報順利完成，企畫通過	運用考試順利結束	會議取得共識，準時結束會議		
	☑調查TOEIC相關資料	☑查詢TOEIC參考書	□購買TOEIC參考書	□調查TOEIC相關資料	□調查TOEIC讀書方法	□研讀TOEIC	
	9 ↓	9 ↓	8 ↓	9 ↓	9 ↓		無所事事的度過一天
	14 ☑整理名片 ☑整理舊衣	13 企畫會議	9–10 準備簡報	11-45 公司內部簡報	13 部門內部會議	13 □將《聰明回話術》一次看完	
	18 ↓	15 □經費精算	12 □製作簡報資料	14 □客戶公司運用考試	14 □致電客戶 □看過草稿	14 □買洗衣粉 □整理舊書	
		16 □確認歡送會出缺席名單	17 ↓	18 ↓	18 ↓	17–18 □研讀TOEIC	
		19 ↓	19 □回家前順便去書店	20–21 享受一杯咖啡			
		□收到上司送的伴手禮 □還好沒淋到雨		□從客户公司一起搭計程車回來			
			幸好有事前準備，簡報順利完成了。 準備真的很重要。	運用考試順利完成，不過去客户公司時差點遲到。下次前往時 時間需預留多一點。			

本週應做事項清單

- □更新保險
- □整理名片
- □整理舊衣

本週計畫清單

- □將《聰明回話術》一次看完
- □找資產運用書籍

> 事先將每天上下班時間寫上去，才能瞭解行程安排狀況。將時間圈起來即可，才能避免筆記過於雜亂，移動時間則用虛線標示。

> 寫下每天的待辦事項，就是「逐夢行動」。一旦執行了，就在勾選方塊中打勾。

> 事先將未來希望發生的事情寫下來，就能實現。實現後再用綠色螢光筆標記起來，會更有實現的感覺。

> 花費超過三十分鐘處理的事情，無論家事或雜事都要記下來，才知道花了多少時間。

> 將時間圈起來即可，非整點的時間則用小一點的字體記上去。

> 只要有加班，就將箭頭補畫上去

> 刻意將自己期待的行程記上去，讓心情轉換一下。

> 安排好無所事事的時間後，須事先塗滿顏色，確保獲得充份休息的時間。

> 記下「小確幸」，就能隨時看見自己的幸福。收到「禮物」時以○作標記，發生「好運」時以◎作標記。

> 將成功經驗或反省感想記下來，將更容易找出自己的成功模式。

裁切線

手帳可以規劃行程、指引工作流程，就像橫渡社會巨浪時必備的**羅盤**。有時也能成為「**盾牌**」，抵抗接踵而來的預定行程，游刃有餘地安排時間，還能在勝負關頭，成為你一舉得勝的武器。

本書將介紹許多手帳的活用方法，讓每個人都能立即上手，使手帳成為活用自如的武器。

・利用**時間管理法**，讓自己從槍林彈雨般傾盆而來的工作案件中全身而退。
・藉由**靈感筆記法**，創作新作品。
・透過**擊退時間小偷法**，讓你不用再「東找西找」。
・**克服自己的惰性、不好的習性**，打造積極的新生活。

這些都是學校沒有教，但卻是在社會上生存的基本常識。

過去苦於空想，一直無法開始行動的人，只要能好好活用手帳，付諸行動，馬上能讓現實生活起變化。

準備好一支**四色原子筆**，趕快來試試**筆記術・手帳療法**，讓你發現最強、最棒的自己！

＊人生，
總是花很多時間在找東西上。

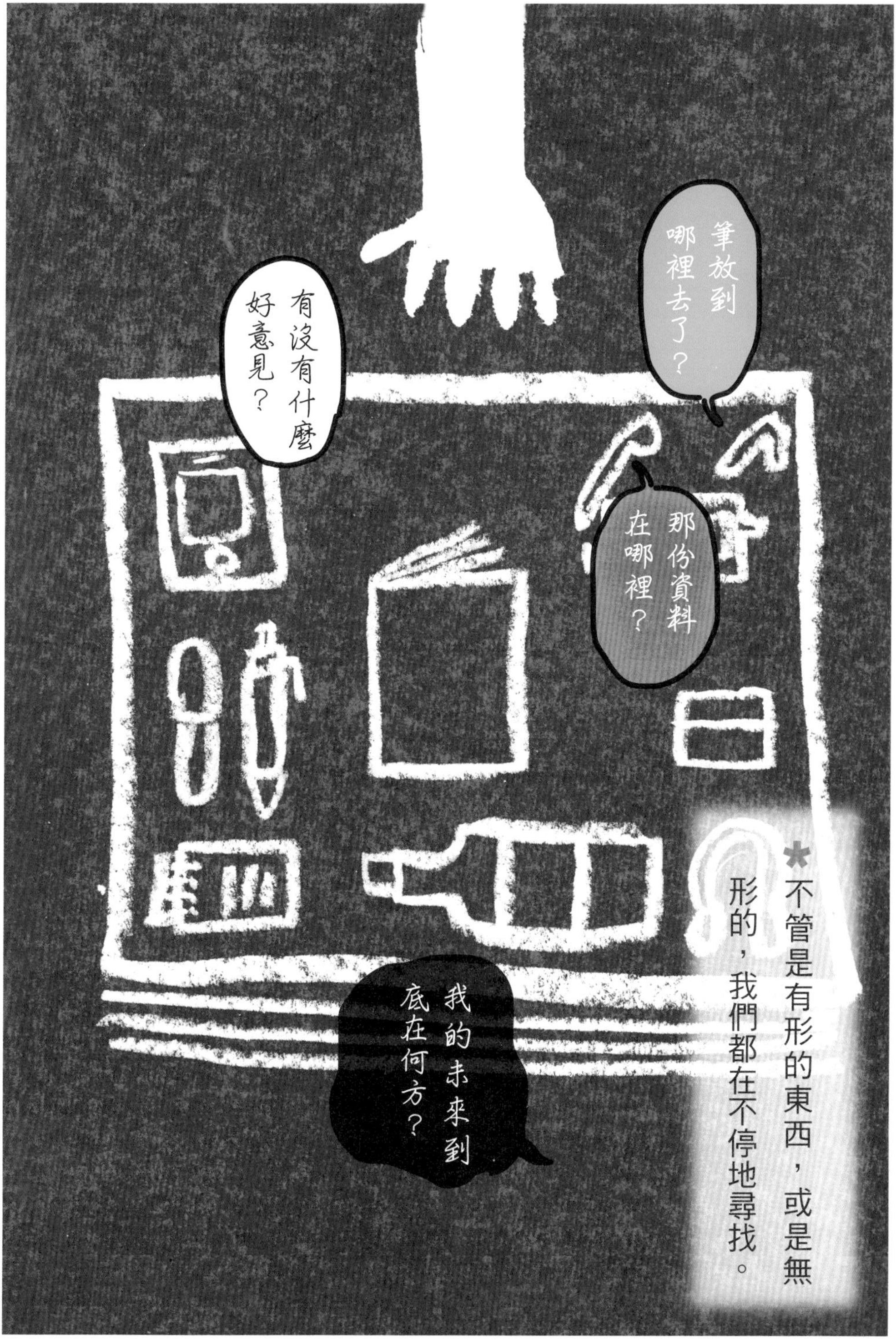
筆放到哪裡去了？
那份資料在哪裡？
有沒有什麼好意見？
我的未來到底在何方？
★不管是有形的東西，或是無形的，我們都在不停地尋找。

*但是老實說，尋找的時間就是一種「**浪費**」。

當你在找筆的時候，別人可能已經用那支筆賺了好幾億。

＊如果能妥善利用手帳，就能**省下找東西的時間**，專注行動。

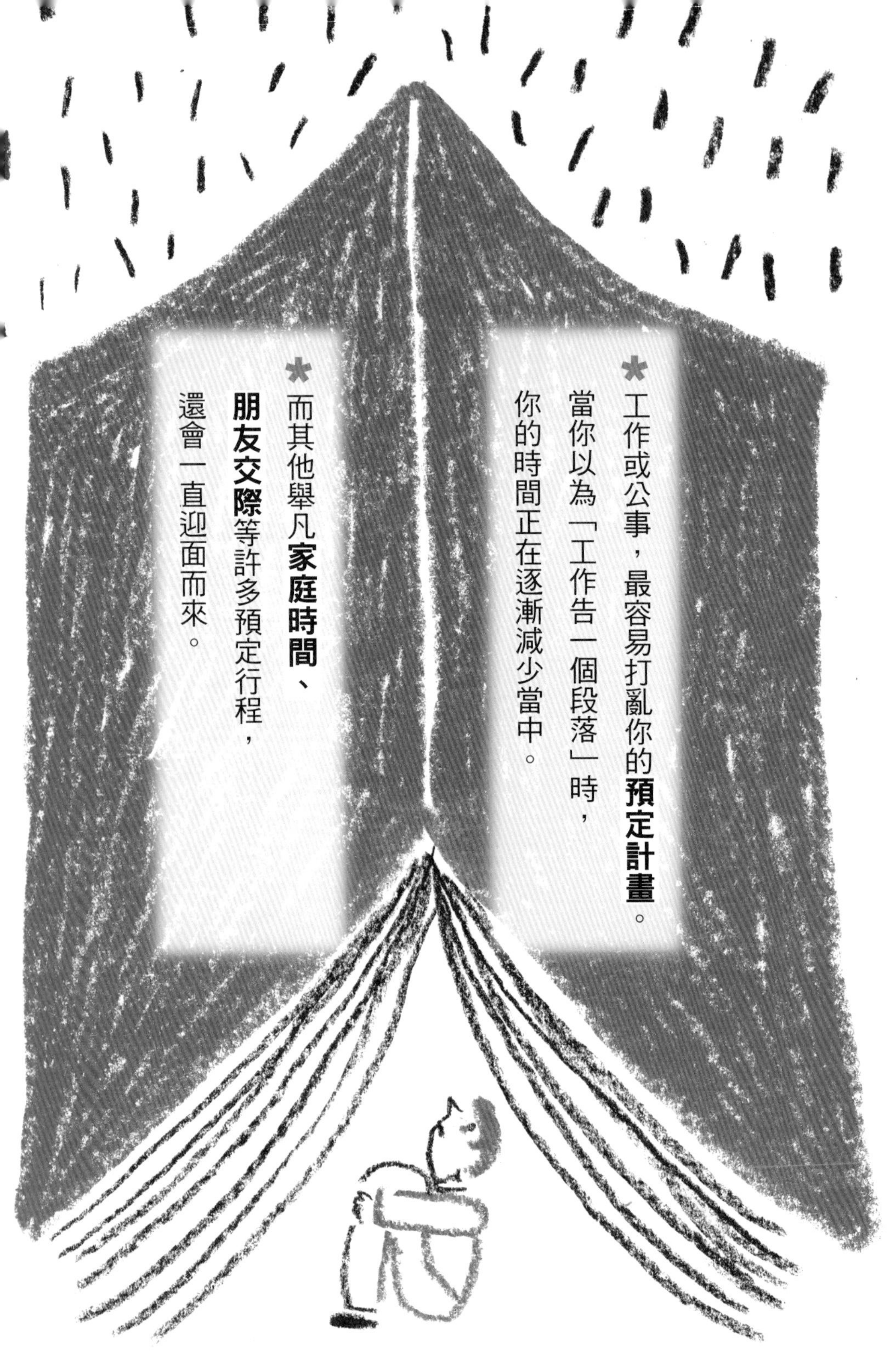
* 工作或公事，最容易打亂你的**預定計畫**。
當你以為「工作告一個段落」時，
你的時間正在逐漸減少當中。
* 而其他舉凡**家庭時間**、
朋友交際等許多預定行程，
還會一直迎面而來。

＊這種時候，一本有規劃的手帳，

就能成為**改變人生的利器**。

*手帳可以幫你**找回時間**。

*手帳可以實現你的夢想，
還能讓你達成目標，
使靈感源源不絕，
甚至活力十足追逐夢想！
善用它，就能想做什麼，就做什麼。

＊現在，就把
手帳這個好工具，
立刻**收進包包**裡！

Contents

目錄

Chapter 1

用手帳找回屬於你的自由時間

Chapter 2

用手帳整理資料，保存好點子

Chapter 3

手帳整理術，省下50％找東西的時間

Chapter 4

把「心情」記下來，讓手帳幫你實現夢想

Chapter 5

手帳上的行程，也可以解決人際關係

使用神奇手帳の
基本原則

選擇手帳和色筆的三大原則

「手帳」的功用，就是讓你順利安排待辦事項，讓工作和生活取得平衡，是掌握時間的好工具。在開始寫手帳前，該如何挑選合適的手帳呢？

（1）選購手帳，要同時有周和月計畫表

選購手帳時，要注意兩項要件。

- **月計畫表——可記錄每月預定行程，且能一目瞭然的頁面**
- **周計畫表——可記錄每周預定行程，且能一目瞭然的頁面**

準備好具備上述兩項要件的手帳，也希望各位千萬別以輕薄為優先考量、而選購「只有周計畫表」的手帳。選購兼具月計畫表與周計畫表的手帳，才能仔細控管以一個月或一周為單位的時間。

手帳有兩種，
以「月」和「周」為單位

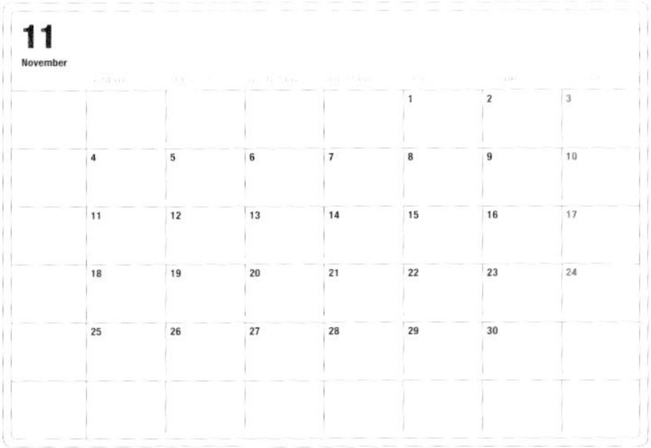

＊月計畫表：掌握整月行程

可一眼掌握一整個月的行程，有助於控管自己以一個月為單位進行安排的行程與忙碌狀況等等。不過因為空白欄位有限，所以最好**搭配周計畫表**分類使用。

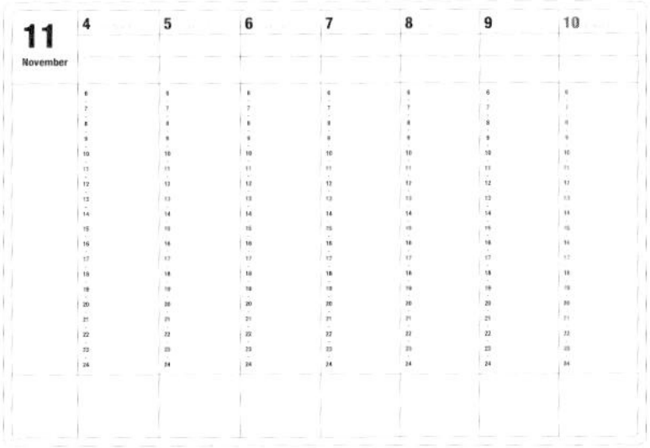

＊直行的周計畫表

周計畫表最大的優點，就是以**每三十分鐘為單位**安排行程。本書中說明筆記術的範例，基本上也是使用「直行」手帳。

＊周計畫表+空白筆記

周計畫表在左側，右面是空白的筆記欄位。適合一般上班族，或是工作以一周為單位進行的人使用。

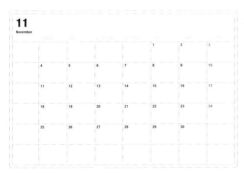

此外，周計畫表還分成以三十分鐘為單位的直行型，以及同時有周計畫表和空白筆記。附有空白筆記的周計畫表，每天可做筆記的欄位較小，各位如果想將手帳當作打造新人生的武器，最好使用直行的周計畫表。

（2）手帳的最佳尺寸，要能隨身攜帶

尺寸方面，要以「隨身攜帶」、「適合自己生活型態」為優先考量。為了隨時都能帶著走，所以最好方便放進包包裡，或是放得進口袋裡，當然也能以外觀設計為主要考量，不過對於忙碌的你而言，還是選擇筆記欄位空間較大的手帳為佳。

「手帳的容量＝各位的工作能力」，所以手帳的大小，最好剛好足以容納自己每天的預定計畫。

用過一次發現不好用時，再改用其他大小，慢慢找出最適合自己的手帳尺寸。

（3）牢記四色筆記規則，手帳內容一目了然

四色原子筆務必要和手帳一起帶在身上。如果你常常用多種顏色寫筆記，卻總是忘記顏色代表的意思，只要遵守以下的用法，絕對不會再搞錯。

本書將介紹四色筆記法，讓你在使用手帳時更有效率。會使用到的顏色有藍、綠、紅、黑四種，如果外出時發現忘了帶，也可以馬上在便利超商買得到。

分色筆記原則與各色代表意義如下：

- 藍色——工作。代表可冷靜執行各項事物的顏色。
- 綠色——私事。娛樂計畫或是令人期待的預定行程就用綠色做筆記。
- 紅色——健康相關等重要事項。紅色為生命之色，也有危機管理的意思。
- 黑色——雜事。與生活有關的瑣碎雜事，就以代表平常心的黑色來做筆記。

透過顏色的區分，就能清楚看出各位生活中，**哪類型的事情占了多少比率**。

另外，請你盡量使用多色原子筆，這樣在做分色筆記時，才不用一直把筆換來換去，省得麻煩。而且使用四色筆時，每次用指尖按鍵換色所發出的喀喀聲響，還具有

讓人調適心情的作用。

不過可能有人擔心「用原子筆寫會擦不掉」的問題，但除了寫錯的時候，完全不建議各位使用修正帶修改。因為你可以藉由行程變更情形，記錄當天的實際情形。所以還不如將預定行程不斷刪除、對方時間一直變更……**等事實保留下來**，更能正確掌握現況。

而且除了四色筆之外，還需要準備一支綠色螢光筆（螢光筆則推薦各位使用擦擦筆系列），將休假日明顯標記出來。

手帳與四色筆，再加上綠色螢光筆，全都是一般常見的文具用品，你一定要事先準備好。

運用四種顏色，輕鬆寫出達人級手帳

- 藍色——工作
- 綠色——私事
- 紅色——健康相關等重要事項
- 黑色——雜事

＊黑色——雜事。與生活有關的瑣碎雜事，就以代表平常心的黑色來做筆記。
＊紅色——醫院這類與健康相關的事項。紅色為生命之色，也有危機管理的意思。
本月待辦事項清單
□牙醫
□報名TOEIC
□整理資料
11
November
MONDAY
TUESDAY
WEDNESDAY
THURSDAY
FRIDAY
1
□《成為武器的筆記技巧》
4
9：00 ～ 17：00
5
10：30東亞工業簡報
□交企畫書
6
17：00拜訪日本產業
7
□致電日本產業確認
8
14：00 全員開會
和其他人的預定行程
上午預定行程
下午預定行程
傍晚以後的預定行程
11
12
13
19：00
14
12：00 與田中午餐
19：00 看牙醫
15 部長出差
14：00 部門內部會議
□精算經費
22
14：00 部門內部會議
康檢查
＊藍色——工作。代表可冷靜執行各項事物的顏色。
＊綠色—私事。娛樂計畫或是令人期待的預定行程，就用綠色做筆記。

兩大筆記原則，立刻找回屬於自己的時間

選好手帳後，接下來我要教大家寫「周計畫表」與「月計畫表」時，不同的筆記基本原則。

「後來才發現，我只會在月計畫表上做筆記……」像這種類型的人，手帳上一定沒有「私人的行程」，完全是「**為了別人（工作）在做筆記**」。想要找回自己時間與自我的人，要先記住下述原則：

- 月計畫表＝以填寫「**與他人的約會**」為主。
- 周計畫表＝以填寫「**自己想做的事**」為主。

只要能確實執行以上兩項大原則，你在時間管理上就會出現戲劇性的變化。

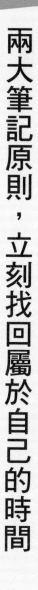

月計畫表區分整月行程，最好記錄「與他人的約會」

月計畫表，可用來控管一整個月的行程表，一眼就能區分星期幾與假日，所以相當方便，但因為可做筆記的空間有限，所以主要用來記錄「與他人的約會」，比方說工作上或家人間的約會，以及與朋友見面這類的約定。

將月計畫表中每一日的空格，由上至下分成**四等分**，區分為**和誰**、**上午**、**下午**、**下班後**等時間帶的預定行程，以便一眼就能分辨。當出現預定行程時，有些人會直接做筆記，但在使用月計畫表時，不斷從後頭追加上去的預定行程，將會讓整個頁面看起來雜亂無緒。

由於相關人員的預定行程，也會影響到自己的預定行程。所以不妨在日期旁邊的最上面一行，記上「主管出差」、「課長不在」等等，記錄除了自己以外，關係較為緊密的人員預定行程。這樣一來，就能提醒自己「啊，明天主管要出差，所以今天得請他作決定才行」，讓工作得以進行得更順利。也可以寫下家人的預定行程，好提醒自己。

月計畫表
主要記錄與他人的約會
11
November
（本月應做事項清單）
看牙醫
報名TOEIC
整理資料
（本月計畫清單）
MONDAY
THURSDAY
FRIDAY
SATURDAY
＊優先寫下與他人有關的事項，例如約會或談生意等等，個人應做事項清單則記錄於周計畫表中。
1
2
換駕照
4
9:00
~
17:00
5
10:30東亞工業簡報
交企畫書
6
7
致電日本產業確認
8
14:00
全員開會
9
和他人的預定行程
上午預定行程
11
12
13
14
15
部長出差
14:00部門內部會議
16
13:00

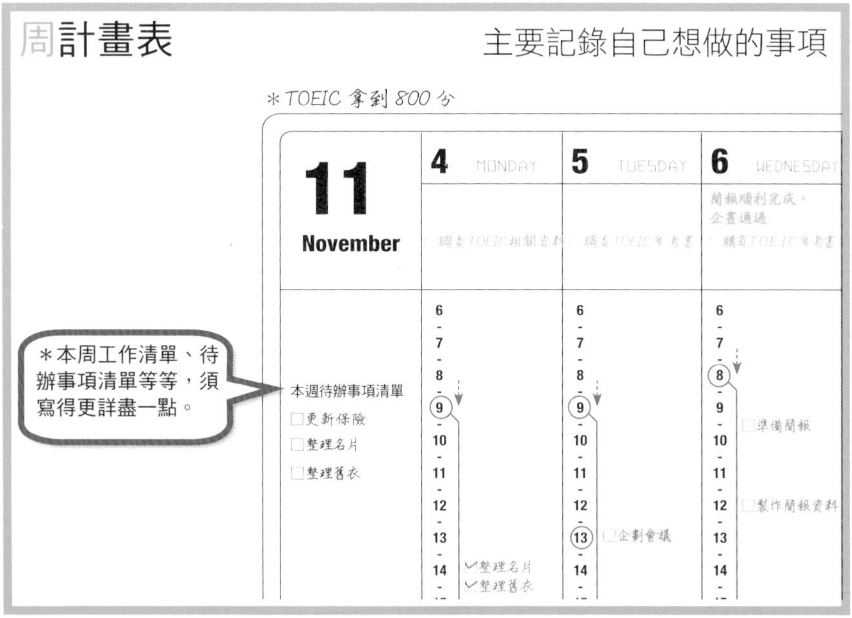
周計畫表
主要記錄自己想做的事項
＊TOEIC 拿到 800 分
11
November
4 MONDAY
5 TUESDAY
6 WEDNESDAY
簡報順利完成，企畫通過
調查TOEIC相關資料
調查TOEIC參考書
購買TOEIC參考書
＊本周工作清單、待辦事項清單等等，須寫得更詳盡一點。
本週待辦事項清單
更新保險
整理名片
整理舊衣
準備簡報
製作簡報資料
企劃會議
整理名片
整理舊衣

另外還有一個小技巧想提醒大家：月計畫表盡量以「**可公開**」的筆記方式填寫，日後將會受用無窮。像約會這類的**私事**，不妨用只有自己看得懂的**符號或英文字母**來表示。

此外，填寫月計畫表時，有兩項原則與周計畫表相同：

・與他人的約定：如「下午兩點開會」，在事項前面先寫上**時間**。

・自己想做的事（＝待辦清單）：如「□經費精算」，在事項前加上**勾選方塊**，完成時勾選。

加上勾選方塊後，除了能確認待辦清單是否已經完成之外，也可以**感受「已執行」的充實感與滿足感**。

事實上，「**獲得滿足感**」這點相當重要，別讓自己老是被工作追著跑，而是去體會逐一完成每件工作後的滿足感。勾選方塊的具體效果與方法，將於後續章節中進行詳細解說。

周計畫表可檢視每日進度，最好記錄「自己想做的事」

對開式周計畫表可記錄一周的行程。以當周或當天必須完成的工作、想做的活動為主，將「與自己的約定」詳細筆記下來，就能與月計畫表完全區分開來使用。

比方說，當天必須完成的「待辦清單」，就記在周計畫表上。最重要的就是在待辦事項前，畫上「□」。

需要列出幾項待辦清單，每個人的認知皆不相同，不過建議各位將**重要事情，或是須花三十分鐘以上才能完成的事情**，全部都記在待辦清單上。除了工作之外，家事或私事，也可依照相同原則做筆記。

一開始或許會覺得很麻煩，不過將自己每天必須做的事轉換成文字，加以可視化（＝看得見），就能掌控一整天的時間應如何運用。不斷重複做筆記的同時，也能讓自己在時間管理方面愈來愈進步。

加上時間和勾選方格，讓你的生活一目瞭然！

11
November
〔本月應做事項清單〕
□看牙醫
□報名TOEIC
□整理資料
〔本月計
MONDAY
TUESDAY
WEDNESDAY
THURSDAY
FRIDAY
＊與別人有約：和他人有關的預定事項，應在開頭處記上時間。
1
4
9:00
17:00
5
10:30東亞工業簡報
□交企畫書
6
11:00拜訪日本產業
7
□致電日本產業確認
8
14:00
全員開會
和他人的預定行程
上午預定行程
下午預定行程
傍晚以後的預定行程
11
12
13
14
12:00與田中午餐
□19:00看牙醫
15
部長出差
14:00部門內部會議
□精算經費
18
19
20
19:00與中川先生餐敘
21
22
14:00部門內部會議
27
＊月計畫表的每日欄位，須區分成四等分，再依不同時間帶做筆記，就能使手帳一目瞭然。
＊必須自己一個人完成的事情，應在開頭處畫上勾選方塊。

▲要花三十分鐘以上的事，全部寫進「待辦事項」。

筆記本寫下靈感和創意，隨身帶著走！

我們可以搭配一個小工具，讓手帳的威力更加強大：小筆記本。通常在手帳賣場裡，會擺在手帳旁邊，比手帳稍小、稍薄的筆記本。筆記本的尺寸，要**選擇可夾進手帳裡的大小。**

別小看這本筆記本，它可以激發你的靈感或創意，成為強大的武器。無法寫在手帳月計畫表或周計畫表的內容，或是每天想到的靈感，都可以記在這本「小筆記本」裡。

例如，沒必要寫在工作用筆記上，但卻想記下來的關鍵字、想法、令人目不轉睛的新資訊等等，以前總是不知道記在哪裡好的事情，都可以自由地記在這本「小筆記本」上。

走到哪，寫到哪，夢想跟到哪！

＊筆記本（1）：LIFE「Recent Memo」
尺寸輕薄短小，攜帶十分方便。內有 6mm×23 行橫線，適合以書寫文章式筆記為主的人使用，有可撕式設計。

＊筆記本（2）：DAIGO「ELEGANT CUSTOM」
薄型筆記，柔軟封面以高級手帳專用紙製成。空白內頁，可自由地隨手塗鴉，有可撕式設計

＊編輯說明：臺灣的讀者們可以選購類似的小筆記本，只要記住，尺寸是「可以夾入手帳內」的大小即可。

「小筆記本」裡可寫上每天的待辦清單，記下靈感，使用方法毫無設限。善用小筆記本，還有助於編寫企畫或彙整思緒，甚至能成為各位的「靈感百寶書」。至於搭配電腦或智慧型手機的使用方法，將另於後續章節中作介紹。

另外，手帳末頁所附的筆記頁也十分珍貴，希望大家能好好利用。建議各位可將與「**全年度**」有關的活動記事或清單記在這裡。

例如：

＊「年度清單」，可規劃一年後的個人目標。
＊「人生清單」，可規劃未來幾年的個人目標。
＊「活動時間表」，可記錄每年度同一季節想進行的計畫。
＊「禁止清單」，可設定自己的原則，例如「假日不看工作相關電子郵件」。
＊「五十大目標」，記下一年內想完成的事項。
＊「購物清單」，可彙整目前想買的東西。

手帳後面空白筆記頁的優點，因為就附錄在手帳最後，所以可以經常翻閱。一年內想達成的目標、日常生活中想留意的事項，只要寫在筆記頁上，就能讓實現的可能性大增。

或許有些人會抗拒將這類目標或理想寫在手帳上，不過，光是「寫下來」，就是通往目標的第一步。不想讓其他人看見的話，可利用可撕式膠帶貼起來。

先透過「寫下來」的動作，將你的夢想「具像」化，從這裡開始，朝著自己的理想圖跨出第一步吧！

達人才知道！

手帳後面多出來的筆記頁，也可以這樣活用。

購物清單

NO	日期	物品	預算	實際花費	購物日
1	12/1	冬季大衣（咖啡色、羊毛）	40000圓	38900圓	12/21
2	12/1	手錶	20000圓		
3	12/10				

＊編列「購物清單」，避免自己衝動購物，有效理財。

A 健康 有肌肉的健康體魄 （□周上一次健身房） 每周放自己一整天假	H 金錢 存款500,000 （還差100,000）	G 興趣 開始跑馬拉松 爬山
B 穿著打扮 保持乾淨整潔的外表 讓別人稱讚自己很帥	年度計畫 今年主題為 「提升 工作能力！」	F 私生活 與女朋友幸福快樂
C 心靈、精神面 堅持原則 讓夢想更加明確	D 工作 讓自己交出成績單 具備企畫能力 踏實的工作 開發新客户	E 進修 TOEIC 800～900分

＊列出「年度清單」，可以設定年度目標

第1章

用手帳找回屬於你的自由時間

讓看不見的時間，變成「看得見」的時間

許多人每天忙於工作時，都會感覺「已經拼了命工作，卻總是做也做不完」。原本打算在今天內完成的工作或文件，卻花了超出預估的時間。就像連鎖效應一樣，接下來的預定行程或工作不得不延後，最後非加班不可，或是帶回家繼續工作，造成私人行程被迫取消……各位是否把這種情形視為「理所當然」或「不得已」，而勉強自己忍受？

天天加班，真的是因為工作量多嗎？

許多人很容易將這種情形的原因，歸究於「工作量太多」。但是，果真如此嗎？其實，**「無法確實掌控花費在工作上的時間」**，才是真正的主因。

舉例來說，心裡原本盤算著早上十點開始寫「會議要用的企畫書」，開始製作之前，預估會「花費一小時左右」，完成之後，再打電話給合作廠商，大約會在上午之前結束這兩項工作……。

不過實際上，你卻花了兩個小時寫企畫，完成後才發現已經到了午休時間，所以沒辦法打電話給對方……結果導致下午的工作**被迫往後延**。

造成你習慣拖拖拉拉的原因，就是「**對於完成工作的時間預估，過於自信**」。「可能需花費的時間」與「實際會花費的時間」，若是無法精準掌控兩者間的落差，無論再怎麼仔細地將行程記在手帳上，計畫總是會趕不上變化。

把開始時間「圈出來」，用時鐘提醒自己進度

重要的一點，就是你能確實分配多少時間給哪一項工作。這種時候，如果能善用手帳，就能簡單分配出每項工作的時間。

每天花費的「時間」，用手帳就能看得好清楚！

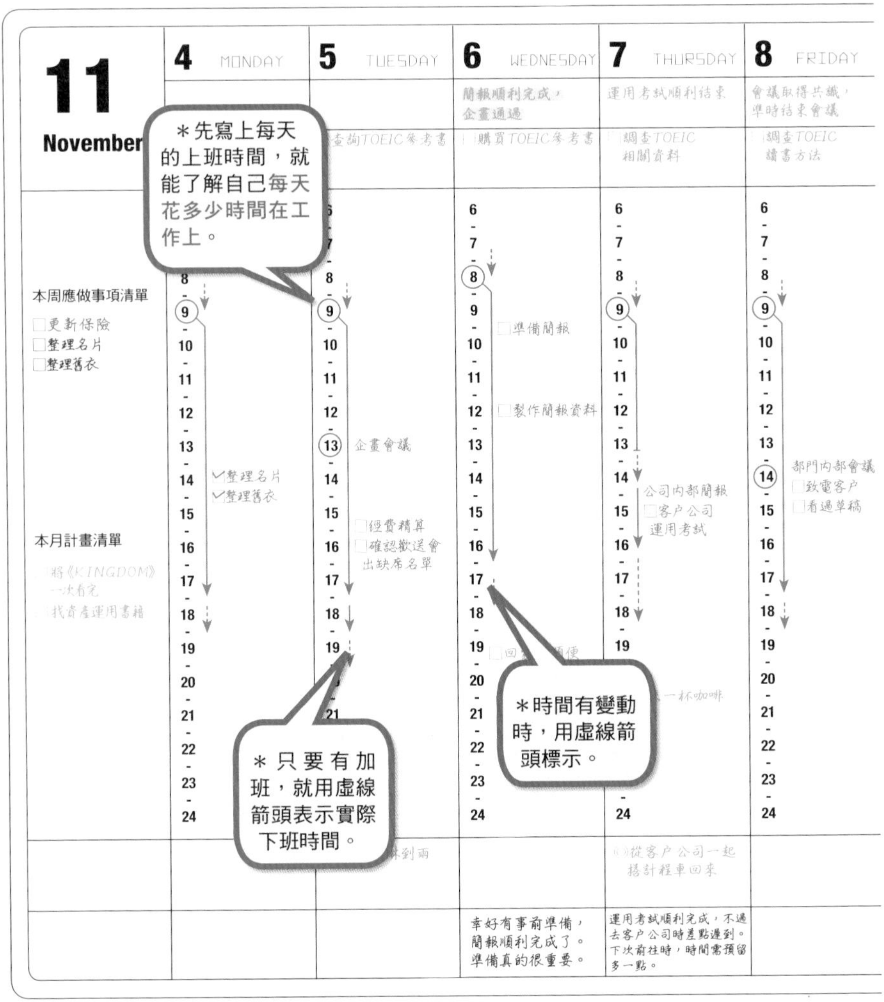

▲為什麼工作佔據了你的生活？快看你這周加了幾天班。

在開始進行工作之前，先在周計畫表上，將這份工作需要花費的時間寫下來。將**開始**工作的時間**圈起來**，再畫上**箭頭**，連接至預定結束的時間。直接在周計畫表上寫上時間，會過於雜亂、不易辨識，所以只需將時間圈起來即可。

如果是四十五分，或五十分這種非整點的時間，可將字體縮小一點，寫在旁邊。此外，若設定「一小時內寫出企畫書」的話，開始工作時，可將時鐘放在眼前，提高自己在目標時間內完成工作的決心。

自己設定每一項工作的完成時間，再加上用時鐘提醒，將工作假想為遊戲般過關斬將，也能增添趣味性。

用「箭頭」標記結束，確實了解每項工作花費時間

利用箭頭將**結束時間**明確標記出來，也能**暗示**自己「必須在這個時間之前完成工作」。這樣一來，自然就能減少容易拖延工作的「浪費時間與行為」。

所以，當工作超過箭頭標記時間，或是必須加班時，千萬不能將箭頭擦掉，反而應**拉長箭頭**來代表時間延長了。等到事後回顧時，就能清楚了解這項工作**實際花費了多少時間**，或是比預估時間超出多少，當下次再進行相同工作時，才會更容易妥善分配恰當的時間。

而且將**加班時間**補畫上去，也能知道自己加了多少班，有助於管理工作時間與管理身體健康。

事先將每天的工作記在手帳上，重複不斷做筆記，就能更確實地分配時間，減少回家後或假日到公司加班的情形。

不過，即使自己想在「一小時內解決」，還是可能發生突發事件。例如主管或部下發生問題、客戶突然來電提出棘手要求……因為這類突發事件，造成工作中斷必須延後時，「暫停手邊工作的時間」也很重要。

當然，這些**突發狀況**都要記在手帳中，也須明確記下暫停時間，方便日後查閱。

只要在手帳上將應做的事情寫下來，讓自己的工作「**看得見**」，就能找出空檔時間。尚未完成的工作，或是將必須優先完成的工作，就能先安插進空檔時間來進行，無須再佔用自己的私人時間。

月計畫表上，在每個周一寫出工作時間

很多人只會將「特殊預定行程」記在手帳上，但是建議各位還是要養成習慣，將**每天的工作時間**也記下。

即使明知「一天有二十四小時」，但還是很難確實掌握「真正的工作時間」與「自己的私人時間」有多少。所以要將每天的工作時間、工作內容記在手帳中，加以「可視化」，才能將**看不見的時間，變成「看得見」的時間**，例如工作或私事在一天當中占了多少比例，在一周當中占了多少比例，在一個月當中佔了多少比例……。

每天記錄會過於雜亂，所以月計畫表只須**在周一寫上工作時間**。若工作時間不同，可於當日那一格另外寫出工時即可。記錄周計畫表時，則用藍筆在工作時間上畫圈，再拉出箭頭，時間若有所變動，則用**虛線箭頭**表示異動。

另外，你可在周末假日安排「手帳時間」，也就是在周計畫表寫上自己下一周的工作時間。在周末安排「手帳時間」，可以事先安排並預習下周整個禮拜的預定行程。這個周末，就按照前面所說的筆記方法，開始你的手帳新人生！

用綠色螢光筆圈出休假日，讓自己好好休息

□報名TOEIC
□整理資料
□讀統計學相關書籍
□收集機車駕照用資料
THURSDAY
FRIDAY
SATURDAY
SUNDAY
1
2
□換駕照
□念TOEIC的內容
＊休假日，要用綠色螢光筆圈出來。
7
□致電日本產業確認
8
14:00 全員開會
9
10:00 五人制足球
10
14
12:00 與田中午餐
19:00 看牙醫
15 部長出差
14:00 部門內部會議
□精算經費
16
13:00
討論展覽會
17
21
13:15 健康檢查
22
14:00 部門內部會議
23
10:00五人制足球
18:00喝酒
24
＊完全沒有任何行程的日子，把整個欄位塗滿綠色，也可以使用擦擦筆。
28
29
30

休假日的時間，也要寫在手帳上

自認工作很有趣，朋友也不少，而且無論是工作或私生活都過得很充實，但是，不知為何，最近身體總是感覺很疲勞……你是否有過這樣的經驗？

打開手帳中的月計畫表檢查看看，周末的行程是不是被排得滿滿滿？

和朋友的飯局，不算真正的「休息」

即使這些預定計畫是「私人行程」，但都只能**算是「娛樂」**，**並非「休息」**。或許各位認為在精神面感覺很快樂、很充實，不過**肉體上**卻只會愈來愈疲勞而已。

而且，有些人還會「利用周末進修，以提升工作技能」，簡直就像把「工作」延長至假日，並無法獲得充足的「休息」。想當然爾，身體不休息，就會愈來愈疲累。

無論你對自己的體力多有自信，始終需要「休息」。

工作能力強的人，應該早就發現這個事實，擁有健康的身體，才能發揮最佳表現。每天被時間追著跑的生活，很難在工作上激發出好創意。

所以，每個月至少要空出一至兩天，作為「完全休息的日子」，**什麼事情都不要做**，或許有人會抱怨：「我根本擠不出那種時間來……」，放心，這種問題，只要有**手帳**和**螢光筆**就能獲得解決。

休假日有兩種，安排私人行程和完全休息

先檢查一下月計畫表，在沒有安排行程的日子，將「**休假日**」用**綠色螢光筆**框出來。然後，再將「休假日」分成兩種，只畫上綠色框框的，是「可以出遊的休假日」＝「**私人行程**」；畫上框框後，再**塗滿顏色**的，則是「用來休息的休假日」＝「**完全休息日**」。

這樣一來，日後只需翻閱月計畫表，就能得知自己每個月有幾天「休假日」，甚至其中能獲得多少「休息」時間，都能一目瞭然。事先規劃休假日，能減少身體突然出現狀況的意外情況。

決定休假日之後，在安排預定行程時，須盡量避開「完全休息日」。只要事先將「不出門的日子」空下來，就能避免在不知不覺間，又把周末的休息時間挪去忙其他事情。

不過，一想到「決定的事情就要遵守」，不免形成壓力。所以可使用擦擦筆來標記，就算臨時真的要更改行程，也能用輕鬆的心情安排休假日。希望各位在休假日也能好好安排，為自己充充電，別讓自己總是抱怨：「最近都沒什麼休息，也該好好休息一下了……」，而要將心態轉變成：「這個月，一定要好好休息！」

安排花小錢又期待的行程，為生活帶來樂趣。

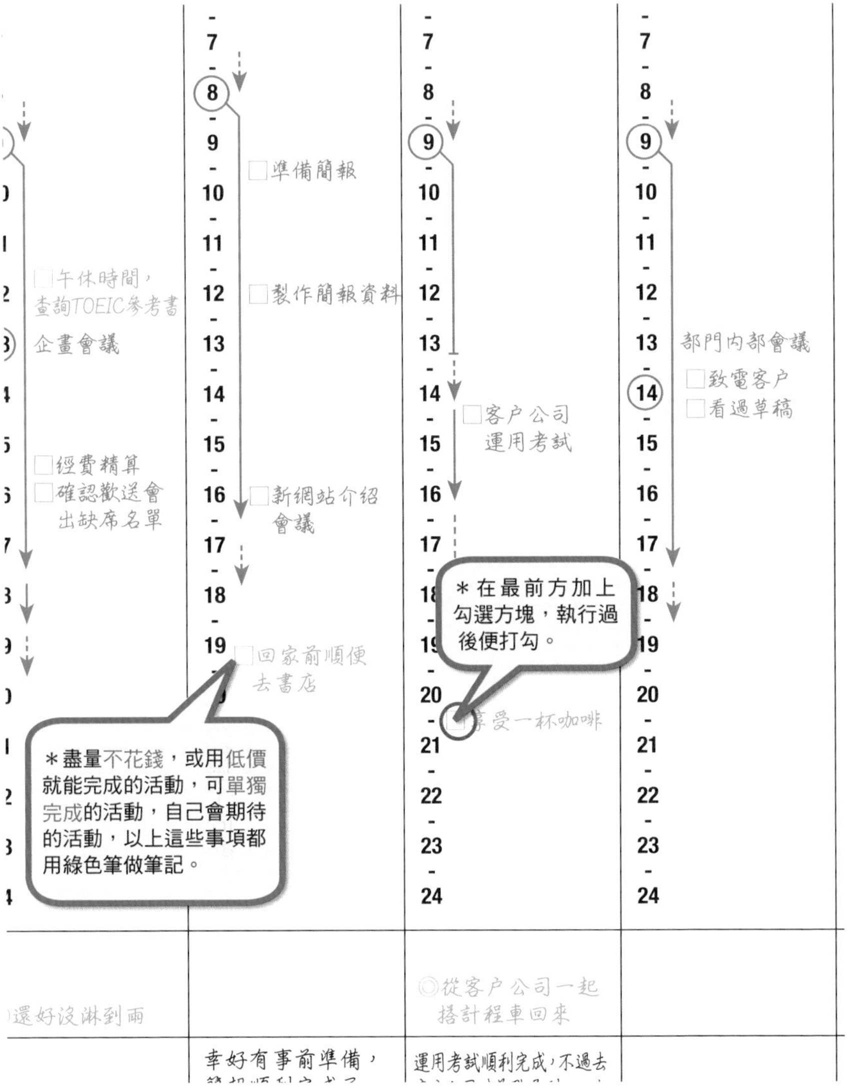

每天規劃一段「專屬自己」的幸福時光

一開始介紹神奇的手帳筆記術時，已向大家說明，要用四種不同顏色的筆來寫手帳，除了讓內容更容易辨識之外，還具有幾項重要的意義。

出社會之後，總是很容易將「工作」擺在第一位。公司會訂立年度計畫，為工作訂出期限，公司與工作，總是很會壓榨員工的時間。

公私事用不同顏色寫，生活重心一目了然

但是為了出人頭地，只好將工作擺第一！當各位有這種想法的時候，就會滿腦子只剩下工作，而陷入「自己被公司『利用』」的氛圍之中……這樣一來，工作士氣會

變得低迷，造成每天工作時都感覺十分痛苦。

為了避免情緒低落，建議各位將**工作與私事**用不同顏色來做筆記。「工作」利用代表冷靜沈穩的「藍色」，「私事」則用代表放鬆的「綠色」，這樣在查閱月計畫表時，**一眼就能掌握「私人計畫」占了幾成，也可減輕「生活被工作佔滿」的感覺。**

不過，即使預留了「私人計畫」的時間，只要工作一忙起來，還是會不斷出現工作超時或周六日加班這類的情形，結果總是會導致沒時間做自己的事。

像這種時候，就要採取一些「保障自己的行動」，照顧自己。只要每天抽出一次空檔，將時間**留給自己做些快樂的事**，就能讓每天過得不一樣。

安排每天讓自己開心的一項計畫

這種手帳筆記法，就叫作「□每日一綠」。在周計畫表空白處，畫上勾選方塊，寫下當天方便進行「期待的待辦清單」，並使用綠筆來做筆記，綠色筆記要遵守下述三項條件：

❶ **盡量不花錢，或用低價就能完成的活動。**

❷ **可單獨完成的活動。**

❸ **自己會期待的活動。**

比方說「**和朋友去喝一杯**」，這件事不但無法單獨完成，還會花到錢，因此不適合作為「□每日一綠」的活動，反而應視為「**私人計畫**」的預定行程。平常預定行程容易受對方時間所左右，也會衍生出費用，所以會形成一種壓力。

而「□每日一綠」是為了**讓自己開心**的待辦清單，所以要安排可讓自己輕鬆自在喘一口氣的計畫。舉凡「**回家時順便買瓶啤酒**」、「**在通勤電車上看漫畫**」等等，這些事情皆符合上述條件，所以可作為「□每日一綠」的參考。

而且最好在周末預定的「手帳時間」，將一整周的「□每日一綠」活動安排好。一旦執行過後，便用綠筆在勾選方塊中打勾。用打勾的方式，可以獲得「已執行」的滿足感，也能真實感受到「**把時間留給自己**」的感覺。

雖然只是微不足道的小舉動，但是每天安排一次「□每日一綠」，就能讓各位的壓力慢慢解除。為了維持身心的平衡，一定要記得「把時間留給自己」。

先找出可用的自由時間，再安排每天的進度。

＊你的目標是「TOE1C 要 800 分」時……

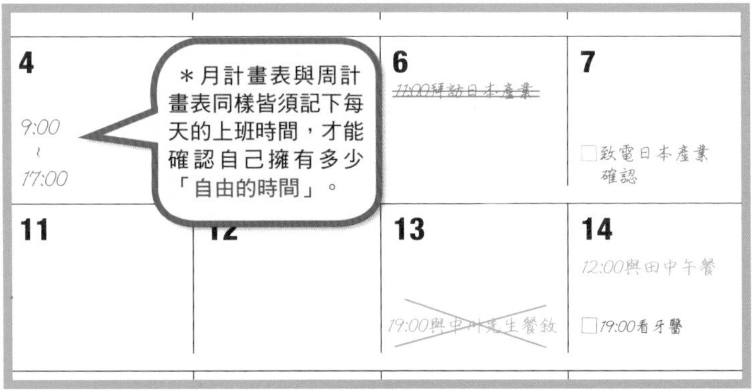

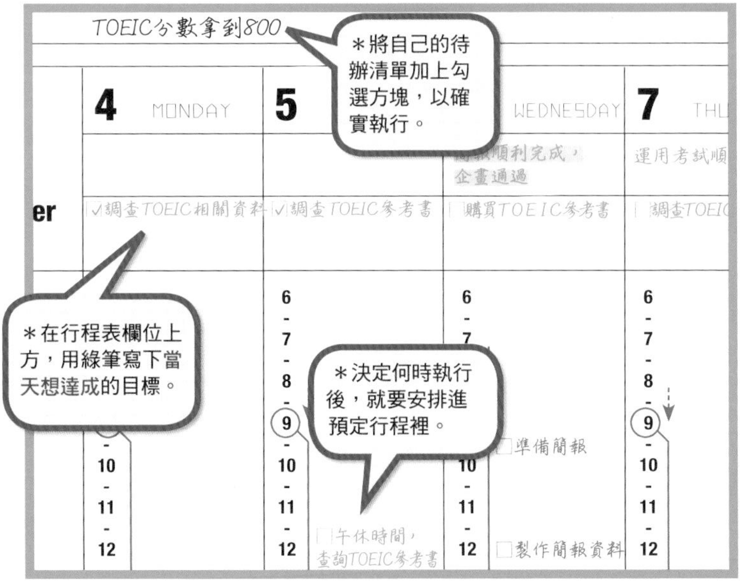

下班後想再進修，手帳是最佳武器

各位是否曾經想要取得證照，或是下班後再進修，甚至為了實現未來夢想，而有些計畫，但卻因為每天忙個不停，而不斷延後執行呢？

寫出全日行程，找出下班後的自由時間

因為你的目標、理想、夢想，在腦海中尚未明確成形，所以不清楚「每天應該採取什麼行動」的緣故，這種時候，手帳將成為你實現夢想的強大武器！

你要先確認，「可以自由運用的時間」到底有多少？用上一節介紹過的行程「可視化」作為基礎概念，將每天的工作時間與私事，全都記在月計畫表上。

很少人會習慣將「每天工作時間」這種例行性預定行程記在月計畫表上，不過，

你還是要照前文所述，務必將**全部行程寫在手帳上**。

這樣一來，你應該就會發現一件驚人的事實，你可自由運用的時間，其實比想像中要少得多。

無視生活中可自由運用的寶貴時間，當然永遠擠不出時間進修。所以，請先利用手帳，讓可自由運用的時間「看得見」。

接下來，訂出一個想達成的目標。並打開手帳的周計畫表，寫在每日欄位的上方空白處。（參考 P52 下圖）

每天設定一小步，再忙也能朝夢想前進

接著，在每周末的「手帳時間」，或者隨時隨地、只要一想到，就在當日上方欄位畫上勾選方塊，並寫下「為了達成目標，必須採取的行動」。因為與期待的願望有關，所以最好用**綠筆**寫。

舉例來說，當你的目標設定為「希望 TOEIC 拿到八百分以上」時，就可以寫下

「看十頁參考書」、「通勤時聽英文會話教材」，這類日常生活中可執行的行動——這就是你的「逐夢行動」。

一旦確定何時要執行之後，也要在此時間帶畫上勾選方塊並記下來，才能使「執行」的意志更加堅定。而且當執行之後，就要在勾選方塊內打勾。

此時最重要的，就是**避免設定標準過高的目標**。例如打算下定決心跑馬拉松的第一天，就訓練自己跑了太長的距離，導致最後因為過於疲累，而無法持之以恆……這就和想進修額外技能時一樣，只會造成無法執行的勾選方塊不斷增加，讓精神層面的壓力愈來愈大，最後反而無法持之以恆。

以「TOEIC 拿到八百分以上」為例，只要依照下述方式進行即可：「星期一　上網找參考書」、「星期二　決定哪本參考書」、「星期三　購買參考書」。

甚至也可以將「通勤時，利用手機尋找介紹讀書方法的網站」這個待辦事項記上去。這些每日築夢行動不能過於勉強，你可以利用周末，預留完整時間讀參考書，或安排看書的時間。與其「哪天再一次做完！」，不如「今天開始往目標一步步邁進！」的作戰方式，才能更加確實地實現目標。

空白頁的妙用❶
找出每個月的固定行程

＊利用手帳的筆記頁畫出「時間表」。

	周一	周二			周五	周六	周日
第一周	10:00 全員開會				14:00 企畫會議		
第二周						19:00 五人制足球	
第三周			12:00 部門內部會議		14:00 企畫會議		
第四周			17:00 蛙式			9:00 人制足球	
第五周							

＊先將每周固定的例行預定行程記下來，才方便安排後續的計畫。寫在這裡的預定行程，盡量不要變動！

＊將可能變更的預定行程寫在下方，較容易辨識。

編列獨家「每月行程表」，善用屬於自己的時間

大家應該瞭解，即使像每天上班時間這類例行性活動，也應記在手帳上，讓每天的行程看得見，這樣才能透過手帳，實際瞭解「你所擁有的時間到底有多少」。

排出每月的規律行程，就能找出空閒時間

接下來，我們要進一步學到，如何利用手帳將日常生活通通「文字化」，使時間運用更加有意義的「時間表」編列方式。

或許有人會質疑，為什麼出了社會，還需要時間表？不是只有學生才需要照表操課、作為每天生活模式的基準嗎？列出「時間表」，可使生活過得有**規律**，方便自己準備所需物品，這麼方便的工具，不好好應用實在太可惜了。

不過，社會人士和學生的「時間表」不同，並非以每周為單位，而是以「一個月」為單位進行時間安排。利用月計畫表，將自己的日常行程文字化後，再將「每月時間表」編列出來。

翻翻你幾個月的月計畫表比較看看，無論工作或私事，是否會出現「每個月例行性的預定計畫」，比方說「每個月的第一個星期一上午，是部門內部全體會議」、「每個月的第一與第三個星期五，是新專案企畫會議」。

私人行程方面也一樣，例如「每個月的第二與第四個星期五的晚上七點，要練習五人制足球」等等，踢足球運動或是去上課之類的活動，其實每個月，甚至每周都會有重複的固定行程。

了解每天的例行公事，輕鬆安排自己的人生

這類每周或每月的重複固定行程，大多數人都會直接記在腦中，不會特地記在手帳上。一旦臨時發生狀況，必須改期時，真的會不知道該如何重新安排，傷透腦筋。

現在只要將「每月時間表」編列出來，就能很清楚自己每個月的例行活動。只要以這些例行活動為主軸，加入新的預定計畫即可。如此一來，行程表的安排會變得更為簡單，也能開心度過在下班後安排的例行性活動，也就是充分享受自己的時間了。

「每月時間表」可利用附在手帳末頁的空白頁面來編列，製作時可參考 P56 的範例。只將「基本上不作變更，即使其他預定行程出現，也要優先進行」的預定計畫，記在每月時間表裡。除了上述的**例行性預定行程**之外，例如像「每周二的下午三點討論工作」，這種**每周都會進行的工作**，也可以記在每月時間表裡。

預估偶而可能會有所變更的預定行程，可畫上**波浪底線**，以便一眼辨識出「可能變更」的活動。

將絕對不會變動的例行性預定行程，套用成行程表的基礎範本後，自然就能形成每個月的規律變化，接下來只需**善用剩餘時間**即可。事先掌握「每個月的律動」，即使幾個月後的預定行程，也能輕輕鬆鬆地安排進行程表裡。

當年中公佈每月新的例行性預定行程後，就要趕快做筆記，「每月時間表」將會成為你從繁忙工作中解脫的重要工具。

空白頁的妙用❷
訂出多個不同方向的年度目標

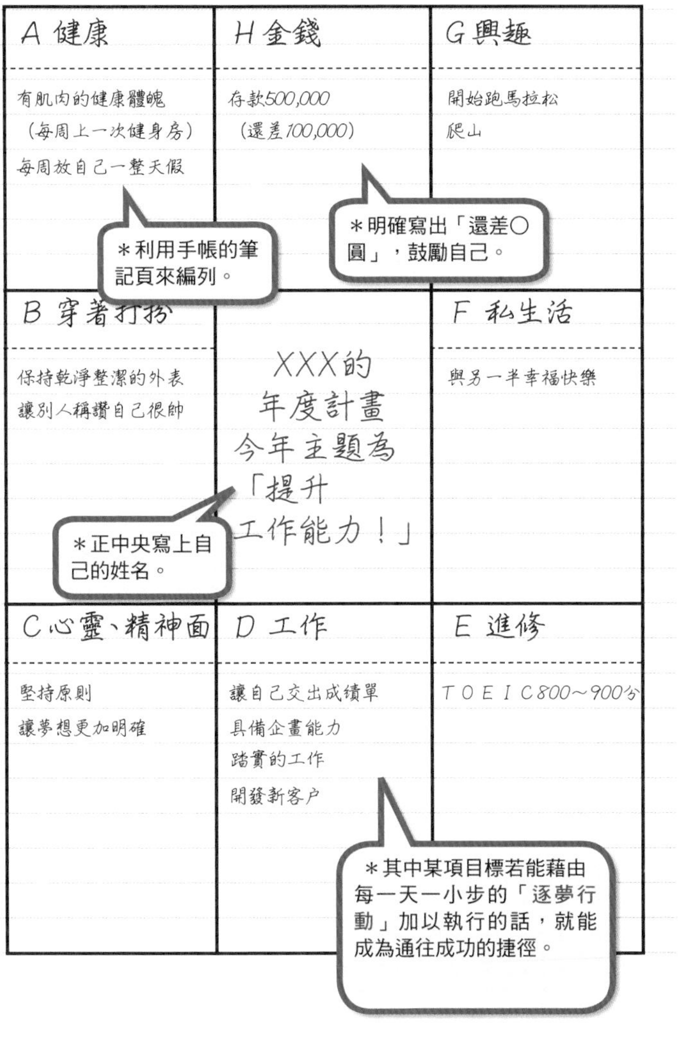
A 健康
有肌肉的健康體魄
（每周上一次健身房）
每周放自己一整天假
H 金錢
存款500,000
（還差100,000）
G 興趣
開始跑馬拉松
爬山
＊利用手帳的筆記頁來編列。
＊明確寫出「還差○圓」，鼓勵自己。
B 穿著打扮
保持乾淨整潔的外表
讓別人稱讚自己很帥
XXX的
年度計畫
今年主題為
「提升
工作能力！」
F 私生活
與另一半幸福快樂
＊正中央寫上自己的姓名。
C 心靈、精神面
堅持原則
讓夢想更加明確
D 工作
讓自己交出成績單
具備企畫能力
踏實的工作
開發新客户
E 進修
TOEIC800～900分
＊其中某項目標若能藉由每一天一小步的「逐夢行動」加以執行的話，就能成為通往成功的捷徑。

九宮格暗示法，同時達成八項年度目標！

「有夢想，卻一直無法實現。」

「每年都會訂下目標，結果一年過去了，卻什麼也沒做到……」

你是不是也有這種煩惱？

除了目標，也要寫下「如何做到」

其實，很多人和你一樣，導致這樣的原因，就是沒將夢想或目標**清楚地寫在手帳上**。「想做那個」、「想達成這個」，這些心情或想法是**看不見**的。

人都有個習慣，只會著手進行**眼睛看得到**的事情，或是**迫在眉稍**的事情，所以容易將眼前的事情擺在第一位。只會一直在腦中或心裡空想著目標，而無法付諸行動的人，其實是很難實現目標的。所以，你必須將目標確實地編列成「年度清單」。

在手帳後的空白筆記頁上，參考上頁範例畫出九個方塊，並在正中央寫上自己的姓名，以及今年的大目標。

其餘八個方塊，再分別依照「A健康」、「B穿著打扮」、「C心靈、精神面」、「D工作」、「E進修（證照、知識）」、「F私生活」、「G興趣」、「H金錢、物品」等領域，分別以條列式寫出自己的目標、理想圖。

舉例來說，當決定「A健康」的目標為「有肌肉的健康體魄」時，你就能清楚知道「想達成目標時，應該做些什麼」。因此，目標或理想圖的下方，須畫上勾選方塊，並具體寫出待辦清單，例如「□每周上一次健身房」、「□每周跑步一次，每次四十分鐘」。這樣就能編列出一目瞭然的清單，清楚明白目標與理想圖，以及為了實現目標所應採取的行動。

當然，想要取得證照的話，今年一整年都要在「E進修（證照、知識）」方面多加努力才行！像這種時候，「A健康」只要達到「維持健康」的程度即可。雖然目標寫得很簡單，比方說：「盡量保留休假日」、「疲累時就趕快休息」，但在無形中，你對於自己的管理健康就會和以往有極大的差異。

年度目標注意兩點：一年內可完成&值得實現

當目標只有一個，例如「今年要做到○○」時，就會忘記其他目標……這種情形經常發生在許多人身上。你可以在「年度清單」的正中央，寫下今年的大目標（今年的主題），並在周圍八個方塊中，分別填入與「今年的大目標」有關連的各項目標，自然就能完成顧及各層面的清單。

還有一點必須注意，就是**目標不能訂得過高**。例如明明存款為零，卻訂下「一年內存款五十萬圓」的不合理目標，或是挑戰今年不太需要取得的證照考試，像這類不切實際的目標，都是不合格的。填入年度目標九宮格內的夢想，要是「**一年內可達成的目標**」和「**值得實現**的目標」。

想成功就要懷抱適當的目標或理想。想想看，你一年內可以完成多少事情，同時清楚地記下來，這樣子手帳才能開心地將目標與現實連結起來。

完成這份「年度清單」後，你可以用這個方式編列「**人生清單**」，將「一生想達成的目標」寫下來。

同樣分成八個領域，將自己「想過的人生」寫下來。除了能讓「未來的理想藍圖」變得更清晰，也能將注意力集中在眼前的目標，瞭解「今年只要專注達成某項目標即可」。

先排「大活動」，以免錯過後悔

報名證照考試或研討會、每年都會舉辦的活動、相關票券的發售等等，一年當中只有某個時期可以參加，但卻因為忙碌而錯過了，這種疏失其實經常發生。

一年一度的大活動，別再因忙碌而錯過

如果下個月還有機會參加的話，只要記在手帳的月計畫表中即可，不過一年只會舉辦一次的活動，就沒辦法這樣做了。買了新的手帳後，卻忘了記上去，等到想起來的時候，已經錯過今年的機會……這種情形都有可能發生。

不管是在工作上，或是令人期待的私人計畫，都很容易發生錯過某些行程的情形。錯失準備季節性企畫、忘了參加夏季野外演唱會、打算今年一定要去玩滑雪板、

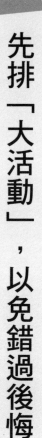

卻因為太忙而辦法去……只會一直腦海裡空想的話，無論什麼計畫都將難以實現。

不想老是後悔的人，就要編列可清楚知道年度（四季）活動的「**年度時間表**」＝「活動時間表」。如P68圖所示，將筆記頁分成四區，再寫上「春、夏、秋、冬」四季的既定活動。記得，這裡也要用不同顏色來做筆記，區分成工作（藍色）與私生活（綠色）兩個領域。

舉例來說，像申請證照考試的行程，已經知道大略時間後，可在後方記上具體日期，甚至可同時記在月計畫表上。

而且，要是錯過每年只舉行一次的證照考試忘記去報名，接下來就得再等一年……這樣一來，讀書的士氣也會變得低落。

將「自己想做的事情」編列成「活動時間表」，就能清楚瞭解一整年的活動，避免「錯過」的遺憾再度發生。

提醒自己下一季的重大工作，避免手忙腳亂

有些活動往年都會在某個季節舉辦，但是今年的報名日期卻遲遲未公布——像這種日期較難確定的活動，只要在「活動時間表」上，將該活動在往年會舉辦的季節欄位中做筆記，也能提醒自己。

這份以四季為單位的「年度活動時間表」，也可用來準備**年度例行性工作**。

例如，有些公司會在「每年秋天參展」，所以可在夏天欄位內，用藍筆（工作的顏色）記上「□開始準備展覽事宜」，當每次翻閱手帳時，就能提醒自己要準備參展的工作，才不會等到秋天快到時才手忙腳亂。

更高明的使用方式，還能將每季的活動寫在活動時間表上，例如「賞花」、「賞月」、「賞楓」等等，如此一來就能開心地欣賞四季之美。善用手帳，清楚記下公司與自己感興趣的年度活動，就能讓你的一年過得更加充實。

空白頁的妙用❸
掌握季節限定的活動

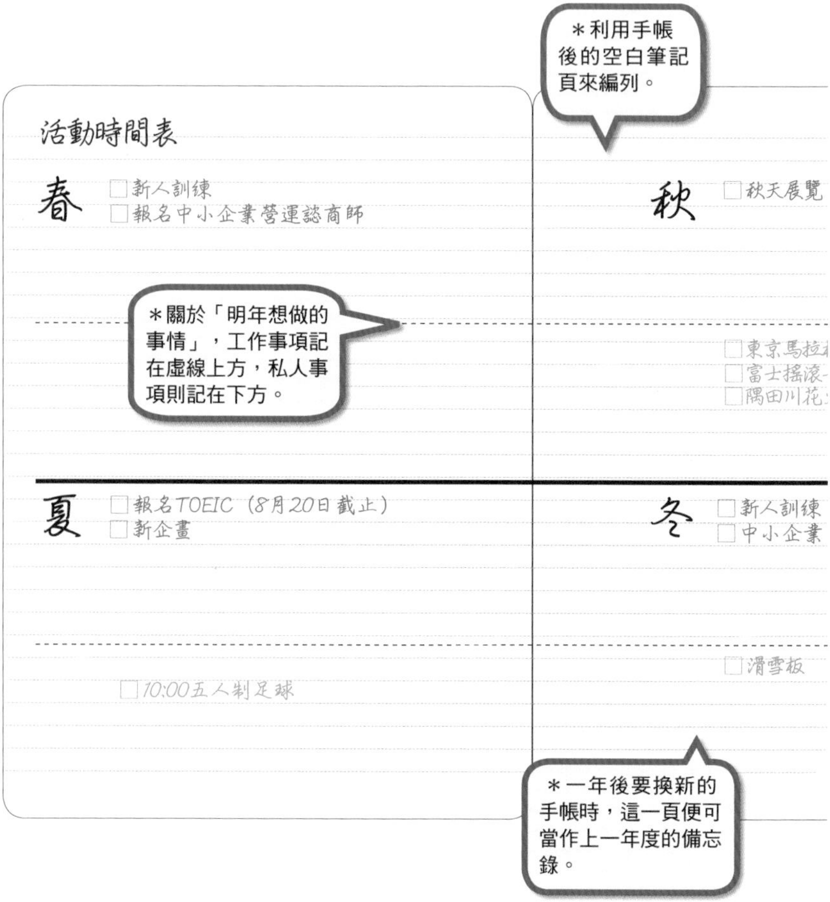
＊利用手帳後的空白筆記頁來編列。
活動時間表
春
□新人訓練
□報名中小企業營運諮商師
＊關於「明年想做的事情」，工作事項記在虛線上方，私人事項則記在下方。
夏
□報名TOEIC（8月20日截止）
□新企畫
□10:00五人制足球
秋
□秋天展覽
□東京馬拉
□富士搖滾
□隅田川花
冬
□新人訓練
□中小企業
□滑雪板
＊一年後要換新的手帳時，這一頁便可當作上一年度的備忘錄。

刻意留下「無所事事」的一天

為了讓工作與私生活每天都能保持最佳狀態，休息是必要的。但是，各位會不會因為無所事事悠閒度日，而感到罪惡感？

在月初時，訂出什麼也不做的完全休息日

難得的休假日，卻睡到下午才起床；莫名奇妙就到了傍晚時分，想做的事卻一件也沒完成。內心懊惱不已的同時，卻發現一天已經結束了……休假日總是這樣度過，「感覺時間都浪費掉了」，接著新的一周便在心生**罪惡感**之下來到。這樣的話，難得的休假日就會變得毫無價值。

像這類型的人，最好「刻意預留時間，悠閒度過無所事事的一天」。將休假日的

內容明確和上班日區分，用綠色螢光筆將日期欄**框起來**的日子，就是「休假日」，不需要上班，於是安排和朋友聚餐、看展覽等私人行程；而日期欄內，用綠色螢光筆**塗滿顏色**的日子，則是「完全休息日」。

月初時，先檢查一下當月計畫表，確定哪一天為「完全休息日」後，再於月計畫表與周計畫表上，都寫上「無所事事」四個大字，最後用綠色螢光筆塗滿顏色。因為完全休息日那一格，已經被被螢光筆塗滿顏色，後續便無法加入新的預定行程；再將「無所事事」寫下來，當作「預定行程」，也能消除心中放假了卻什麼事都沒做的罪惡感。

休息也是預定行程，降低浪費時間的罪惡感

設定為「完全休息日」的日子，連家裡的「瑣事」也盡量不要處理。只要一有打算「稍微」動手整理一下的念頭，就會演變成大掃除的下場，無法充份休息。

真想動手處理瑣事的人，可利用上午或下午的時間來處理，**確保至少有半天的休息時間**。即使你想著「要利用休假日準備證照考試」，也盡量利用這種方式來安排行程，確保獲得休息。

事前明確計畫上午休息、下午準備考試，心裡就會產生「好好休息過了」的滿足感，也就不會在不小心無所事事度過休假日後，又心生後悔。

「休息時間，好好休息」，這件事對於上班族而言是相當重要的。不管你的工作能力有多優秀，缺乏充分休息，就會影響身體健康，得不償失。

想要提升平日的工作效率，就要在休假日好好休息。利用手帳安排「**休假日**」與「完全休息日」，避免心生罪惡感或懊惱的情形，度過有意義的周末假日吧！

度過充實的每一天，
秘訣在預留「拖拖拉拉的時間」

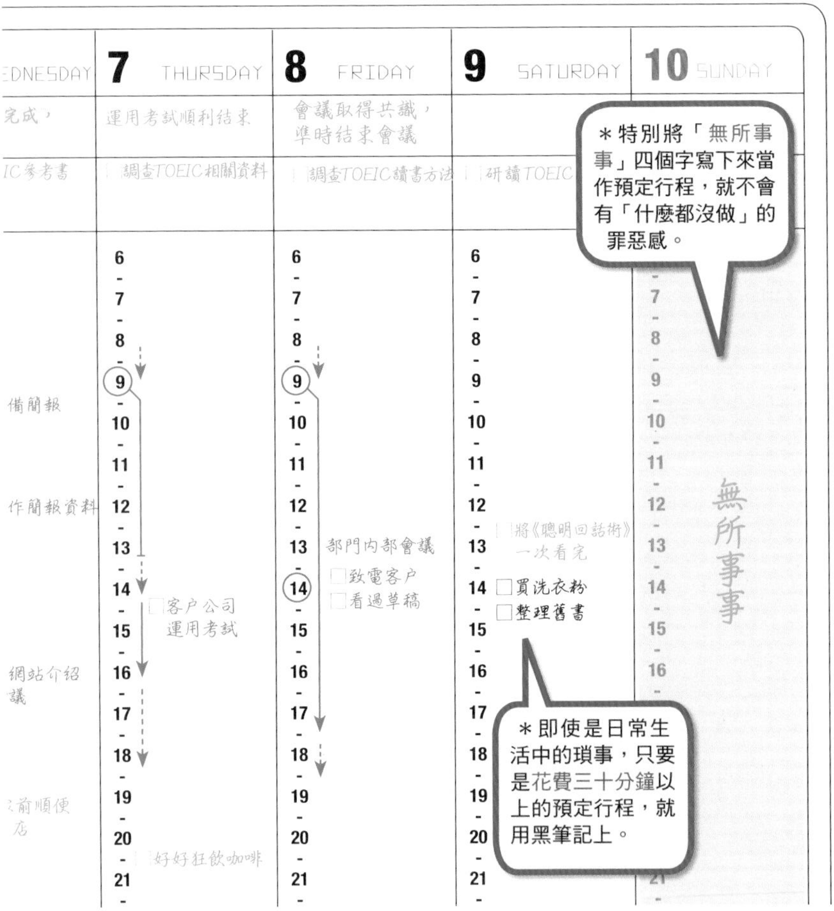
EDNESDAY
7 THURSDAY
8 FRIDAY
9 SATURDAY
10 SUNDAY
完成，
運用考試順利結束
會議取得共識，
準時結束會議
IC參考書
調查TOEIC相關資料
調查TOEIC讀書方法
研讀TOEIC
＊特別將「無所事事」四個字寫下來當作預定行程，就不會有「什麼都沒做」的罪惡感。
備簡報
作簡報資料
網站介紹
議
前順便
店
客户公司
運用考試
好好狂飲咖啡
部門內部會議
致電客户
看過草稿
將《聰明回話術》
一次看完
買洗衣粉
整理舊書
無所事事
＊即使是日常生活中的瑣事，只要是花費三十分鐘以上的預定行程，就用黑筆記上。

除了「該做的事」，也要記下「不該做的事」

「沒辦法每年都記手帳」、「一打開手帳就會覺得很麻煩」，有這種感覺的人，手帳上最大的共通點，就都是該做什麼的「**工作清單**」。每次一打開手帳，總是一整面的「待辦事項」，所以才會讓人提不起勁來。

工作和私生活不分，一定會生病！

為了扭轉這個觀念，最好將「**不能做、避免進行的事情**」寫下來，將「禁止清單」記在手帳上，就能成為保護自己的武器。

「休假日也得收發工作相關郵件。」

「工作得帶回家裡做，所以完全無法喘口氣。」

因為是工作，所以不得不這麼做——這種心情我完全可以體會，但是私生活與工作無法清楚區分的生活，無論在精神上或肉體上，都無法好好獲得調適。

前一章節中已解釋過，「刻意預留時間，無所事事悠閒度日」的重要性，但是窩在家裡，卻反而會不自覺地拿起智慧型手機或平板電腦收發電子郵件……這種人應該還不少吧？結果只會不自覺地切換成工作模式，明明是私人時間，心情卻總是無法轉換過來。

好好想一想，這些電子郵件，難道非得收發不可嗎？

當然，得視職業別與狀況而定，但若是沒必要在周六日收發公司郵件的話，最好將這個舉動列在「禁止清單」上。

想要改善容易不自覺進行的行為，就得在手帳的筆記頁上，列出「禁止清單」。

加上替代方案，發現對你「最重要的事」

還有一個小秘訣，就是寫下**替代方案**，解決這些「禁止清單」上的事情。例如，絕對不做的清單上，「周六日避免收發工作相關電子郵件」，替代方案就是「周一提早上班，利用一大早回覆所有郵件」。

單純避免收發電子郵件，可能會讓人心神不寧，但是只要提醒自己，要在周一一大早回覆所有郵件的話，就能消除周六日不收發郵件的不安感。

這份清單，當然也能用來提升工作上的表現。例如容易在工作中掛在網上的人，就可以列出「工作時避免掛在網上　休息時間與通勤時OK」來提醒自己。除此之外，容易接下過多同事委託的工作，讓自己手忙腳亂的人，可以寫下「避免接下太多工作，找出『現在該做的工作』」，提醒自己在接下工作前，「先緩口氣」地自問自答一下。

只要像這樣列出「禁止清單」，最後不但能讓工作表現更加亮眼，還能減少自己浪費時間，又無法充分休息的事情。

保持健康不是「該如何做」，而是「不該做什麼」。

＊利用手帳後的空白筆記頁來編列。

＊寫下休假日的「禁止清單」，使日常生活不再一成不變。

「絕對禁止」清單

1 周六日避免收發工作相關電子郵件
→周一提早上班，利用一大早回覆所有郵件。

＊不放心的人，不妨寫出替代方案。

2 工作時避免掛在網上
→休息時間與通勤時OK。

3 避免接下太多工作
→找出「現在該做的工作」。

4 工作時，少喝咖啡
→一天最多只能喝一杯（但以微糖為主）。

手帳，是最好的健康管理工具

留意自身健康，也是重要的每月待辦事項

工作忙碌的每一天，總是很容易將健康管理丟在腦後。滿腦子只有工作的人，最常發生這種情形。

但是會危害健康的問題，單靠日常一點點的注意，是預防不了的。外表看起來中氣十足的同事或主管，某日突然因為受傷或生病而申請退休的例子，各位身邊應該曾經發生過吧？千萬別以為與自己不相干，因為這隨時都可能發生在你我身上。

特別是沒有公司排定定期健檢的人，就算有時在腦海中閃過「每年都應該做一次健康檢查」的念頭，但是，一想到「何時去」的問題時，就會不知不覺把這件大事往後拖延。

因此，像這類與健康相關的事項，更應該記在**月計畫表**中，提醒自己千萬不能忘記。但是這種預定行程，可能遲遲無法決定前去健檢的確定日期。所以可用月計畫表右上方的欄位，記在「**本月工作清單**」或「本月活動清單」上。

舉凡看牙齒或定期健康檢查等等，非做不可的事情就記在「本月工作清單」欄位上。最重要的一點是，與健康相關的事項，須用**紅筆**做筆記。一旦決定哪周可能可行時，就在該周旁邊以「本周待辦清單」的模式做筆記，這樣才不會忘記預約。當然，預約之後就要在當天欄位記上預約時間。

例如「去按摩」、「上健身房運動」等等，「雖然並不是非做不可，但是執行欲望十分強烈的事情」，也可以全部記在「本月活動清單」上。

把運動計畫寫進手帳，天天做就變成習慣

特別是因為工作關係，造成運動不足的人，沒有特別注意就會忘記要去運動，最好將具體的次數寫下來，例如「每月上兩次健身房」，數字化後才容易計算是否有達

成目標，也能督促自己。因為運動也與健康有關，所以須用紅筆做筆記。

此外，其中可能有人「因為健檢結果，而被醫生建議需要運動或減肥」。像這種時候，就得將每天與減肥有關的行動，記在周計畫表上。例如「每天至少步行一個車站的距離」、「爬樓梯」等，簡單的待辦清單即可。如果想利用早上通勤時間走上一個車站的距離，那就在當天通勤時間附近畫上勾選方塊（此為二次記錄），將「何時進行」加以可視化。步行一個車站的距離後，就在勾選方塊內打勾，才能提升成就感。如果能把步行一個車站變成習慣的話，那就更好了。這樣即使不使用手帳，也一定能減肥成功。

容易拼命過頭的人，可以參考第P44所介紹的，安排「**完全休息日**」。每個月保留幾天哪兒都不去，只待在家裡休息！只要有這種決心，就能預防自己的身體，在不知不覺間變得精疲力盡……。

忙得不可開交時，更要刻意預留完全休息的一天，或許各位會覺得這樣太浪費時間，不過，這才是真正在「投資時間」。善用手帳，每天多關心自己的身體，避免健康出現狀況，才後悔莫及。

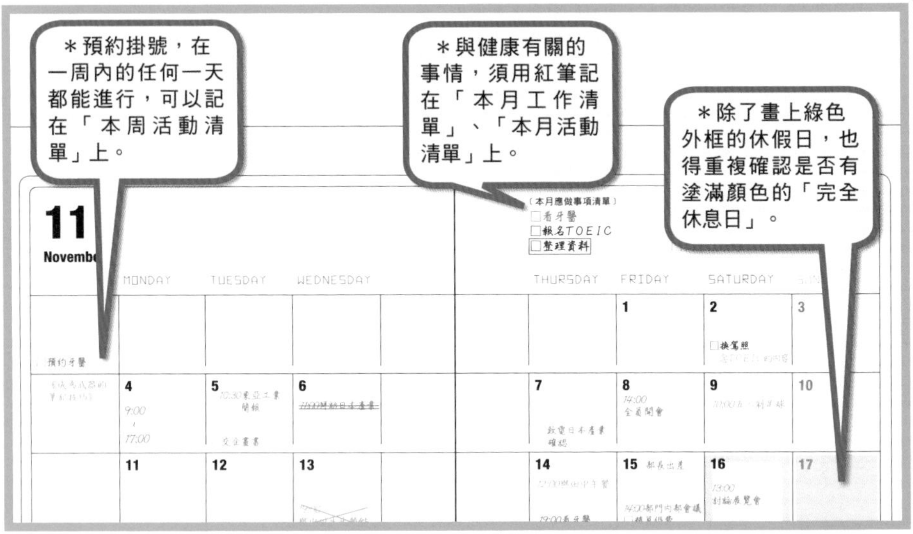
＊預約掛號，在一周內的任何一天都能進行，可以記在「本周活動清單」上。
＊與健康有關的事情，須用紅筆記在「本月工作清單」、「本月活動清單」上。
＊除了畫上綠色外框的休假日，也得重複確認是否有塗滿顏色的「完全休息日」。
11
November
本月應做事項清單
看牙醫
報名TOEIC
整理資料
MONDAY
TUESDAY
WEDNESDAY
THURSDAY
FRIDAY
SATURDAY
預約牙醫
換駕照

11
November
4 MONDAY
5 TUESDAY
6 WEDNESDAY
簡報順利完成，企畫通過
調查TOEIC相關資料
調查TOEIC參考書
購買TOEIC參考書
＊本周工作清單或活動清單，可仔細列在周計畫表左邊欄位上。與健康有關的事，須用紅筆寫。
本週待辦事項清單
更新保險
整理名片
準備簡報

第 2 章

用手帳整理資料，保存好點子

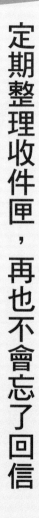

定期整理收件匣，再也不會忘了回信

整理電子郵件的首要秘訣：分類

「沒想到堆了這麼多未讀郵件」、「忙到焦頭爛額，連電子郵件都忘記回」。這些都是使用手機與電腦的煩惱，乍看之下，好像與手帳扯不上邊，不過這些煩惱都能藉由手帳獲得解決，只要注意兩個重點：

❶ **將整理郵件的步驟養成習慣。**

❷ **將手帳當作「索引」。**

善用手帳的特性，很容易幫各位將一個行動養成習慣。比方說，每天整理堆積如山的電子郵件。首先須養成的習慣，就是「郵件分類」。

「**郵件分類」就是區分必須回信的郵件，與不必回信的郵件。**當然，垃圾郵件或不看的廣告信件，就直接丟進資源回收筒裡。不想再收到相同信件時，最好將郵件設定為拒收。

將待回覆的郵件設為「草稿」，午休後回信

接下來，將剩下的郵件一一開啟，並馬上判斷「是否為必須回信的郵件」，需要回信的郵件便設定為「**草稿**」狀態，並存放於草稿資料匣中。將郵件設定為拒收時，只需在「郵件分類」當下順便進行設定。

雖然一一回信時需要一點時間，不過「分類」並不會花太多時間。所以每次看郵件時，記得要先將「郵件分類」，務必養成這個習慣。

只要能養成習慣，後續只需規劃出時間，回覆存放在「草稿」資料匣中的郵件即可。建議各位利用**午休結束後**，例如「必須開始工作，但卻還提不起勁的時間帶」。

從每日待辦清單中，養成好習慣。

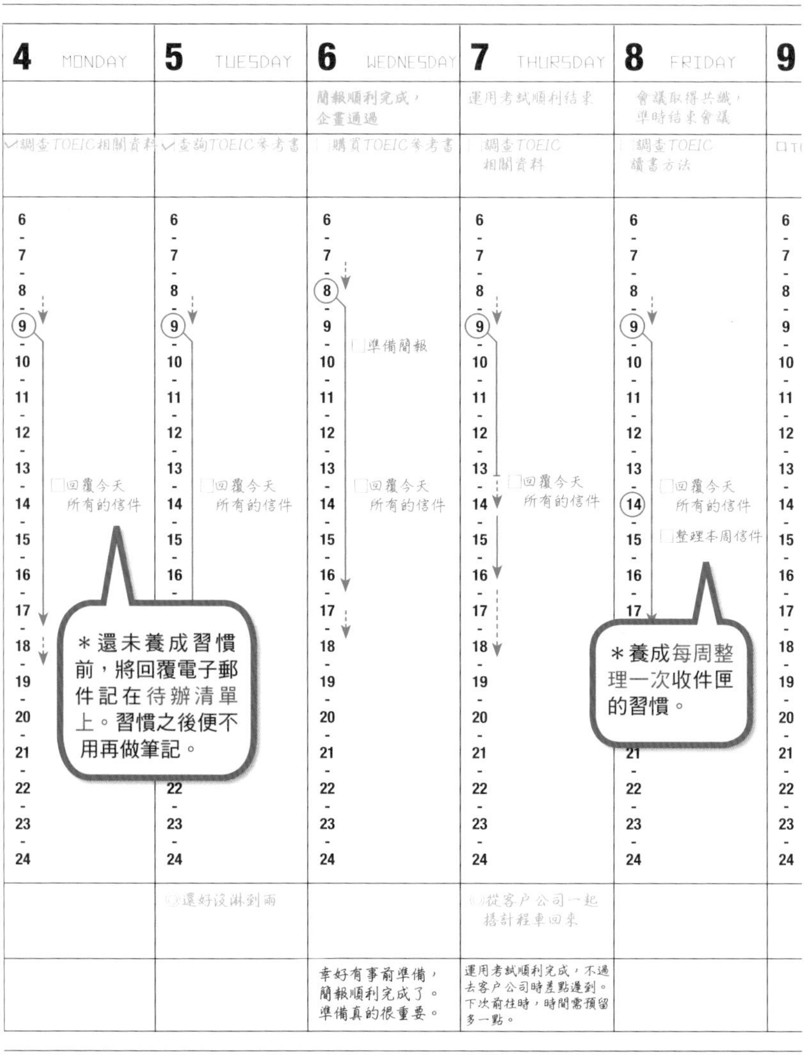

4 MONDAY
5 TUESDAY
6 WEDNESDAY
7 THURSDAY
8 FRIDAY
9
簡報順利完成，企畫通過
運用考試順利結束
會議取得共識，準時結束會議
調查TOEIC相關資料
查詢TOEIC參考書
購買TOEIC參考書
調查TOEIC相關資料
調查TOEIC讀書方法
準備簡報
回覆今天所有的信件
整理本周信件
＊還未養成習慣前，將回覆電子郵件記在待辦清單上。習慣之後便不用再做筆記。
＊養成每周整理一次收件匣的習慣。
還好沒淋到雨
從客戶公司一起搭計程車回來
幸好有事前準備，簡報順利完成了。準備真的很重要。
運用考試順利完成，不過去客戶公司時差點遲到。下次前往時，時間需預留多一點。

打開手帳翻到周計畫表，在當天下午一點左右的地方，畫上勾選方塊，並寫上「回覆今天所有郵件」的待辦清單。

特地將回覆郵件記在手帳上，可能會感覺怪怪的。不過，主要目的是為了**養成習慣**，因此若能習慣成自然的話，就不需要再做筆記。持續將「回覆郵件」這項預定行程記在手帳上，一直到成為每天必做的「習慣」為止。

「郵件分類」作業就像確認聯絡事項一般，須養成習慣於上班後立刻進行；時間上不急的話，也可以在午休結束後立即處理，這樣才能避免一整個上午，都耗在處理郵件上頭。

郵件收發純粹只是一種「聯絡手段」，並非實質的工作內容。所以一大早頭腦最清晰的時刻，最好還是用來從事與創造相關的工作。

每周檢查一次郵件，還可確認工作進度

另外想介紹給各位，只把「正在進行的工作」存放在收件匣中的小技巧。

首先，新增一個資料匣，並以自己目前負責的專案來命名。接著，**每周檢查一次**收件匣，並將工作完成的郵件移至該資料匣中。這是為了確認每周工作的完成度，所以最好在周五進行。尚未養成習慣前，可將「結案郵件分類」以待辦清單的方式，記在月計畫表及周計畫表上。此時若有不需要的郵件，刪除掉即可。

這樣一來，電腦收件匣中自然就只會留下與「現在進行式的工作」相關的郵件，使必須進行的工作一目瞭然。

接下來，當自己負責的專案一結束，就要將資料匣刪除，只留下還在進行中的專案資料匣即可。

或許有人會認為，不把電子郵件留下來會有點擔心，但是收件匣容量愈大，不但容易使電腦出問題，尋找某一封需要的郵件時也會花費許多時間，所以就這些缺點看來，上述整理手法應該會使工作更有效率。

年底整理通訊錄，等於「整理人脈」

令人意外的是，手機裡的通訊錄，最容易讓人忘記它的存在。幾年前聯絡過，或是只交換過一次電話號碼……這些人的名字，是否仍留在各位的通訊錄裡？即使突然想聯絡，也無法立刻找出需要的聯絡方式。翻閱通訊錄時，老是看到許久沒聯絡的姓名一直跑出來，很容易讓人分心……當注意力分散到不是現在應該進行的事情上時，其實也是一種時間上的浪費。

年底準備賀年卡時，順便整理通訊錄

人生常常花費在「尋找」上，不斷翻閱通訊錄尋找聯絡方式，更是一種浪費時間的行為。若能每年好好整理一次通訊錄，就能大大節省這種時間的浪費。

私人和工作上的通訊錄，分年底／年度整理。

＊私人通訊錄於年底作整理，工作通訊錄則利用年度結束時進行整理。
＊將「整理通訊錄」記在年底、年度結束的「本月工作清單」上。若想同時整理私人通訊與工作通訊錄時，可用黑筆記上去，並用藍色框起來，利用二種顏色做筆記。
＊確定哪一天要整理時，便記在「本周活動清單」上。
12
December
〔本月應做事項清單〕
□看牙醫
□報名TOEIC
□整理資料
MONDAY
TUESDAY
WEDNESDAY
THURSDAY
FRI
2
9:00
17:00
3
4
5
20：00 尾牙
6
10
11
17:00
下季專案會議
12
16:00 開會
13
□整理通訊錄
16
9:00
17:00
17
18
19
□提出經費文件資料
20
23
24
25
26
27

整理私人通訊錄時，可利用年底**準備賀年卡時**順便整理，這樣作業起來就會相當輕鬆。打開十二月的月計畫表，在「本月工作清單」欄位記上「整理通訊錄」。利用電腦管理手機或智慧型手機通訊錄的人，也可一併整理一整年的人際關係，可說是一石二鳥之計。

整理通訊錄時，一定會十分煩惱「誰應該刪除？誰應該保留？」各位不妨以下述情況作為基準，那就是想起這個人時，會不會有「**期待**」的感覺。「期待」是很直覺性的反應，日後再理性思考與這個人的關係即可。

雖然不會令人期待，但最好還是留下聯絡方式……或許有些人會有這種想法，不過當對方不會令自己有所期待時，留下聯絡方式其實一點幫助也沒有。

反而是刪除後，真的需要再取得聯絡時，還是能夠透過其他方法獲得聯絡方式。所以應該一股作氣徹底進行整理，這樣一來，最後留在通訊錄中的聯絡對象，將全部都是對自己有所助益的人。

人際關係，反映你的真實生活

不可思議的是，當通訊錄空出來後，還能提高機率，讓我們遇見想認識的人，或是更好的機緣。如果各位很想和某人有更進一步的來往，將對方的聯絡方式儲存在通訊錄裡的話，最好以「期待感（直覺）」作為基準，好好整理一下通訊錄。

整理工作通訊錄時的基本規則是相同的，只不過年底想要同時整理私人與工作通訊錄可能會太過辛苦，所以不妨在「年度結束」時整理工作通訊錄。記得在年度結束的三月左右，將「整理通訊錄」記在「本月工作清單」上。（編註：日本的年度計算是每年三月，臺灣的讀者可將工作通訊錄在過農曆新年前整理。）

「每年整理一次通訊錄」，也是**審視自己人際關係**的大好良機。例如自己對某人有什麼感覺（有無期待感）、對自己而言對方代表什麼意義……對於平常總是視而不見的人，不妨好好整理一下自己對於對方的感覺，這樣甚至還能降低人際關係方面的壓力。

養成備份習慣，減少生活中的突發狀況

毫無理由的突然當機，造成電腦與手機的資料全沒了！這種突發狀況真的會讓人氣急攻心。因為打雷造成電腦損壞、電腦遺失、電腦掉落、電腦掉進水裡、不明原因……等等，各位是否曾經因為突如其來的意外，而焦急大喊：「我忘記備份了！」

把「備份」列入待辦清單，養成習慣

其實，手帳也能解決這樣的問題，最重要的，是使用手帳來養成「備份」的習慣。建議各位，最好每周備份一次較為妥當。

定期於方便的時間帶，將「每周星期○的○點」進行備份的時間規劃好，在周計畫表中預定時間欄內，**畫上勾選方塊並記下待辦清單**。月計畫表中如果還有空間，也

記下每日的「備份」行程，養成好習慣。

5 TUESDAY
6 WEDNESDAY
7 THURSDAY
8 FRIDAY
9 SATURDAY
簡報順利完成，企畫通過
運用考試順利結束
會議取得共識，準時結束會議
✓調查TOEIC參考書
購買TOEIC參考書
調查TOEIC相關資料
調查TOEIC讀書方法
研讀TOEIC
企畫會議
經費精算
準備簡報
製作簡報資料
客戶公司運用考試
＊將「備份」時間寫在待辦清單上。
備份
將《KINGDOM》一次看完
買洗衣粉
整理舊書

WEDNESDAY THURSDAY FRIDAY SATURDAY SUNDAY
＊養成習慣前，要將「備份」行程記載周／月計畫表的待辦清單上。
備份
換駕照
研讀TOEIC
14：00全員開會
10：00
五人制足球
致電日本產業確認
15 部長出差
12：00
與田中午餐
19：00看牙醫
14：00
部門內部會議
精算經費
13：00
討論展覽會
備份

可以「重複記上」相同事項，執行後打勾，日後就能知道最後備份日期是哪一天。

有些人不太會用電腦，所以可能「不知道如何備份」，或是「不知道如何與智慧型手機同步」，你可以問問身邊對這方面十分熟悉，又能輕鬆請教的人。也可以在月計畫表「本月活動清單」中，記上「確認備份方法」。

避免意外打亂生活節奏，新增手帳筆記留心小細節

每天忙碌不停之下，很容易忘記這些小事情，不過只要善用手帳**提醒自己**，就能記得向同事或身邊的人詢問。

此外，也可以找出適合自己、最有效率的備份方式，例如只想備份特定資料夾而非整台電腦，或是只想將智慧型手機的通訊錄同步等等。這樣一來，容易感覺「很花時間，太麻煩……」的備份工作，就能輕輕鬆鬆完成了。

最重要的就是**養成習慣**，只要養成定期備份電腦或手機資料的習慣，不管因為什

麼狀況導致當機，都不會因此手足無措了。如果能將備份資料養成習慣，也就不需要再畫出勾選方塊提醒自己了。

雖然乍看之下只是微不足道的小事，但是規避風險，也須養成習慣才行。

將網路資料化為紙本，容易規劃閱讀時間

網路上的資訊繁多，有時看似有趣的文章，卻無心細細品味而一眼帶過。即使訂閱了認為很有意思的期刊，也總是堆在一旁，顯少閱讀，這樣完全是浪費時間。

後續將介紹「留下靈感」也是同樣道理，各位只要能將靈光一現的資訊儲存起來，日後將成為你個人的寶貴資產，好好善用手帳「待辦事項」的提醒功能，避免重要資訊從指縫間溜走。

網路上發現的重要資訊，不再看過就忘

網路上的資訊，最大的缺點就是「感覺量很多，卻看不見」，或許你會認為，「只要將資料儲存起來就好了」，不過，根本不會再看一次的資料保存愈久，只會增

網路上的有用資料，也要確實吸收。

新時代
領袖論
主旨：20130129
http://business
http://business
新時代
領袖論

＊寄回自己信箱，再印出成紙本資料。

11
November
4 MONDAY
5 TUESDAY
6 WEDNESDAY
研讀網頁列印文章
本周應做事項清單
更新保險
整理名片
整理舊衣
準備簡報
＊透過「逐夢行動」或待辦清單，安排時間研讀收集的資訊。

加自己「還沒看完」的精神壓力，更會把自己逼到喘不過氣來。

因此，即使是網路資訊，想閱讀卻無法立刻進行時，建議各位「將所有資訊一次列印出來」。

只要列印出來，就能實際感受到「**資訊量到底有多少**」，還有另外一個優點，就是容易預估「**大概需花費多少時間才讀得完**」。而且列印出來之後，就能激發自己「要看完」的動力，也方便在搭乘交通工具時閱讀。

外出時上網發現的文章，記得利用電子郵件將網址寄到電腦，然後再將內容列印出來。這樣一來，就能防止智慧型手機或平板電腦上，書籤愈變愈多的情形。

筆記本寫下關鍵字，管理每天獲得資訊

倘若各位上網是為了搜尋某項資訊時，最有效的方法，就是打開周計畫表，在「逐夢行動」（參考P52）欄中，安排時間收集想要的某類文章。

接著，如果你突然想到有關這個資訊的關鍵字時，只要記在手帳的周計畫表或小

筆記本上，無論何時的資訊，都能立刻調查出來。也可將列印出來的資訊，貼在小筆記本上。

只要依照這種方式運用手帳與小筆記本，就能有效的從網路洪流中準確地獲取自己想要的資訊。

用手寫下、貼上紙張MEMO，會比單純閱讀，更有助於活化大腦裡的記憶裝置。所以只要養成習慣，將關鍵字寫下來，還能強化搜尋關鍵字的語彙能力。

利用手帳，也能統一管理平日川流不息的大量網路資訊，善加利用手帳筆記術，將「容易一眼帶過的資訊」，升級為「可立即運用的資訊」。

靈感常在放鬆時出現，一定要安排休息日

應該很多人會有這種感覺，一旦被命令「現在立刻提出意見」時，再怎麼想破腦袋，也很難在當下想出好點子。其實，靈感幾乎來自現有點子的變化組合，或改進不足部分所衍生出來的創意。要能快速提出點子，關鍵便在於，如何將日常生活中萌發的靈感用心累積下來。

充分休息且隨時筆記，發現更多好想法

靈感總是一閃而逝，所以當你被工作或時間追著跑的時候，其實很難激發出優秀創意。

因此，你要確實預留令人期待的獨處時間。休息日除了維持健康之外，也可以用來激發靈感。隨手翻閱雜誌時映入眼簾的文章、隨意轉台時看到的電視節目、想透透

想到什麼，通通寫在小筆記本上。

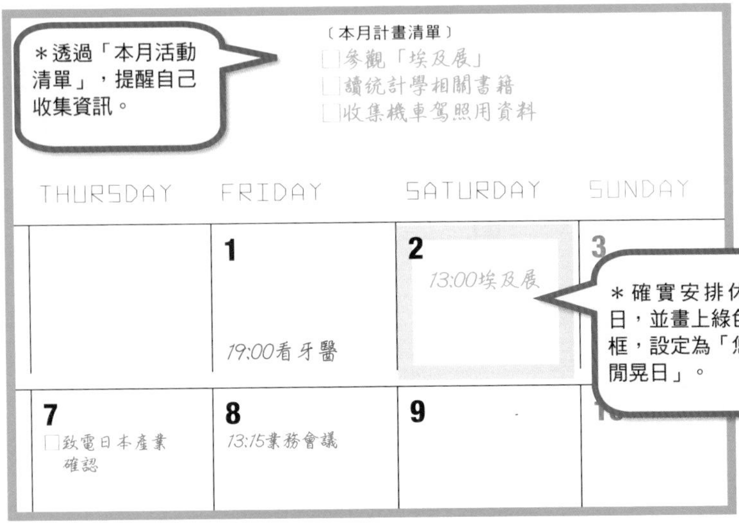

＊透過「本月活動清單」，提醒自己收集資訊。
〔本月計畫清單〕
□參觀「埃及展」
□讀統計學相關書籍
□收集機車駕照用資料
THURSDAY
FRIDAY
SATURDAY
SUNDAY
1
19:00看牙醫
2
13:00埃及展
3
＊確實安排休假日，並畫上綠色外框，設定為「悠哉閒晃日」。
7
□致電日本產業確認
8
13:15業務會議
9

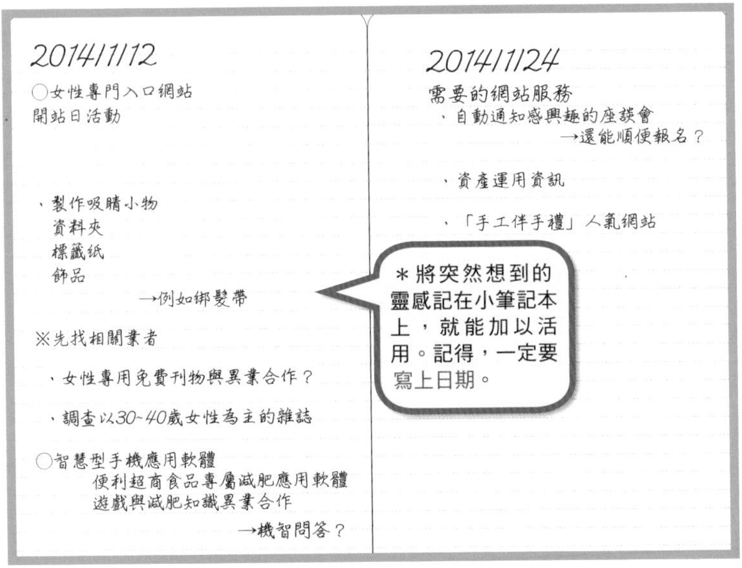

2014/1/12
○女性專門入口網站
開站日活動
、製作吸睛小物
資料夾
標籤紙
飾品
→例如綁髮帶
※先找相關業者
、女性專用免費刊物與異業合作？
、調查以30~40歲女性為主的雜誌
○智慧型手機應用軟體
便利超商食品專屬減肥應用軟體
遊戲與減肥知識異業合作
→機智問答？
2014/1/24
需要的網站服務
、自動通知感興趣的座談會
→還能順便報名？
、資產運用資訊
、「手工伴手禮」人氣網站
＊將突然想到的靈感記在小筆記本上，就能加以活用。記得，一定要寫上日期。

氣時出門逛街、休假日去看看美術展覽。令人期待的時間愈多，靈感湧現的創意數量也將呈正比成長。

因此，「休假日」十分重要，在月計畫表中，安排出可放鬆心情的時間，並用綠筆框起來，而且要把當天刻意設定為「悠哉閒晃日」。可以去逛逛街東看看西瞧瞧，也可以到書店晃晃，甚至去看看感興趣的美術展、博物館，或是看看電影也不錯。最重要的，就是安排讓自己可以充滿期待的時間。

若是有想參加的活動，想看的展覽或電影，可打開月計畫表，記在「本月活動清單」上，這樣就能避免「不小心忘記日期而錯過」的情形。

抓住好點子，善用手帳後空白頁和小筆記本

依照這些方法，當悠哉閒晃時想到什麼好點子，別忘了記在手帳的筆記頁，或是夾在手帳的小筆記本裡。不然當靈感湧現時，即使馬上作了筆記，最後卻不知道丟到哪兒去，或是因為手邊沒有筆記本，拖到後來卻忘了這個好點子，是很可惜的一件事。

關於這點，只要善用片刻不離身的手帳，就能隨時做筆記與修改。

不過手帳的筆記頁有限，所以覺得不方便隨時記下靈感的人，則建議使用小筆記本來做筆記。

後續將另行介紹，彙整靈感與使用小筆記本時，更有效率的方法。將靈光乍現的點子確實記錄下來，就能隨時運用囉！

手帳+筆記本配合，完整收集每個好點子

如果你也準備了一本夾進手帳內的「小筆記本」，這將成為你收集靈感的最大「武器」。

一開始在基本原則中也曾介紹過，小筆記本必須選擇盡量輕薄尺寸，夾在手帳裡也能方便攜帶外出的款式。使用小筆記本時，記得將「開始使用日期」標示上去。

手帳當索引，找出筆記本上完整資料

小筆記本可以記錄突然想到的靈感，而且在頁面最上方，須用八個數字標示出日期（西元年／月／日），日後在整理資訊時，**標示日期**將派上用場。舉例來說，當你在某一天看到了一篇很棒的文章，只需在手帳當天日期欄中寫上：「小筆記本有記錄」即可。這樣一來，便可**依照手帳日期**，找出小筆記本上的時間，就很容易查出當

用手機看到的資料，可以先寄給自己。

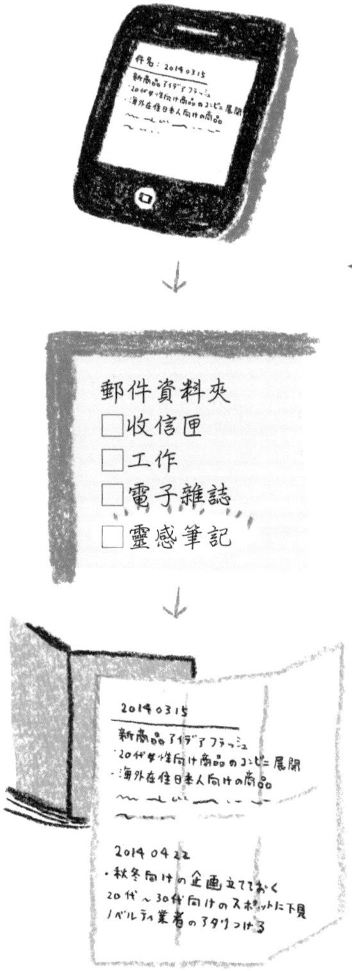

＊將靈光乍現的點子寄到自己的信箱裡，累積一定數量後，再用word加以整理列印，貼在小筆記本上。

天自己保存了什麼樣的資訊。

這就是一開始提到的，「**將手帳當作索引**」的使用方法，可以活用成各種型式，也將於後續章節中詳細介紹。

在小筆記本上做筆記時，即使尚有空間，也必須以「**每天一頁**」為原則，利用這種方式才會有助於日後翻閱查詢。例如概念草圖、廣告標語、工作企畫……什麼都能記上去。

沒有人知道何時會想到好點子，所以不妨將筆與可撕式筆記本，放在經常有靈感湧現的地方（例如浴室、床邊、廁所等等）。只要靈感湧現，就馬上記下來，然後貼在小筆記本上統一管理，用點心思，就能將重要的靈感筆記隨時掌握在自己手中。

點子郵件主旨加上日期，方便日後查找

不過在搭交通工具時，有時不方便打開筆記本，甚至也會遇到手上沒筆的情形。

像這種時候，可用手機發送寫有點子的郵件到自己的電子信箱裡，將主旨寫成

「20141127筆記」，**加上日期**，日後整理資料也會比較方便。

從手機電子郵件寄送過來的靈感，須儲存於同一個資料匣中，累積到某種程度的數量後，再利用 Word 一併複製貼上，彙整至一張A4大小後再列印出來。列印出來的A4紙張可以折疊起來，貼在小筆記本上。

手機電子郵件的好處，就是連照片都可以一併寄送。這樣對工作有所助益的資料，就能彙整在一本小筆記本裡了。

此外，**每周最少要定期「整理靈感郵件」一次**。即使尚未累積到一張A4大小的數量，也可以記錄「本周自己的靈感究竟有多少」。記得在手帳周計畫表空白處，畫上勾選方塊，並寫下「整理靈感」。這項作業與工作有關，所以也能在工作中進行。

任何微不足道的靈感，只要記錄下來，就能成為對自己有所助益的智慧武器。

累積好點子筆記本，打造專屬靈感寶盒

小筆記本除了可以記下靈感，也能書寫內文較長的日記或文章，甚至可將當天觀賞的電影票券或展覽會門票貼上去，作為記錄，使用方法非常多。所以只要夾一本小筆記本在手帳裡，就可以保留你的生活片段與回憶，在未來善加利用。

寫滿靈感的筆記本，如何保存？

如果你將每一本寫完的筆記本都留下來，數量將會很可觀。該如何好好的保存這些筆記本，又能在日後需要時，迅速又正確地找出來呢？

首先，在使用完畢的小筆記本封面處，寫上「**使用完畢的日期**」。筆記本封面原本就寫著「開始使用的日期」，由此就能清楚知道這本筆記本的使用期間。然後再加

寫上時間並編號，
方便日後依日期查找。

▲最好用同尺寸筆記本，收納方便。

上「流水編號」，統計出共有幾本。

接下來，依照流水編號排列，放進事先準備好的箱子裡。為了方便收納，小筆記本最好盡量續用**同一尺寸、同一廠牌**的商品，這也是秘訣之一。只要依照流水號排放，不但方便取出，也很容易歸位。

留下思考過的紀錄，成為自己的最佳資料庫

儲存小筆記本的數量，大約以一個鞋盒為基準。能夾在手帳中的小筆記本，大約為三十張、六十頁左右。每天使用一頁，大約可用兩個月，一年頂多寫完六本左右。連同用完的手帳一起收納的話，一個鞋盒最少可保存三年份的手帳與小筆記本。

如果想瀏覽存放在電腦裡三年份的資料，可能會讓人暈頭，但是隨手翻閱手帳或小筆記本時，馬上就能回想起來，某日某時自己做了什麼、想了什麼。當時的企畫雖然過於前衛，但是現在或許剛好適用……等等，這些都是各位**走過的痕跡**，記錄各位重要資料的小筆記本，十分值得長期保存。

當小筆記本多到塞不進盒子裡時，可以只剪下需要的部分，再用夾子夾起來，製作成精選版的「小筆記本」。

其他部分，果斷地丟棄即可。只留下派得上用場的資訊，將用得著的資訊塞進盒中，變成最強的武器庫。

利用手帳筆記術，完成五十個年度目標

每周達成一個目標，讓你渡過充實的一年

在第一章中，我們已經交大家如何「年度目標訂定方法」以及「年度清單」，現在，我要更進一步告訴你，如何實現這些目標並渡過充實的一年。

一年有十二個月，一年有三百六十五天。那麼，一年有幾周呢？

答案是五十二周。令人意外的是，五十二這個單位，似乎很少有人拿來運用。若是每個月實現一個目標的話，十二個目標略嫌太少；每天實現一個目標的話，一年三百六十五個目標又嫌過多。那麼，每周實現一個目標，以「五十」這個數字來作區分的話，感覺剛剛好，可以激發出向前邁進的動力。

私人嗜好，或是和工作有關的都可，試著訂下你的「年度五十大目標」。

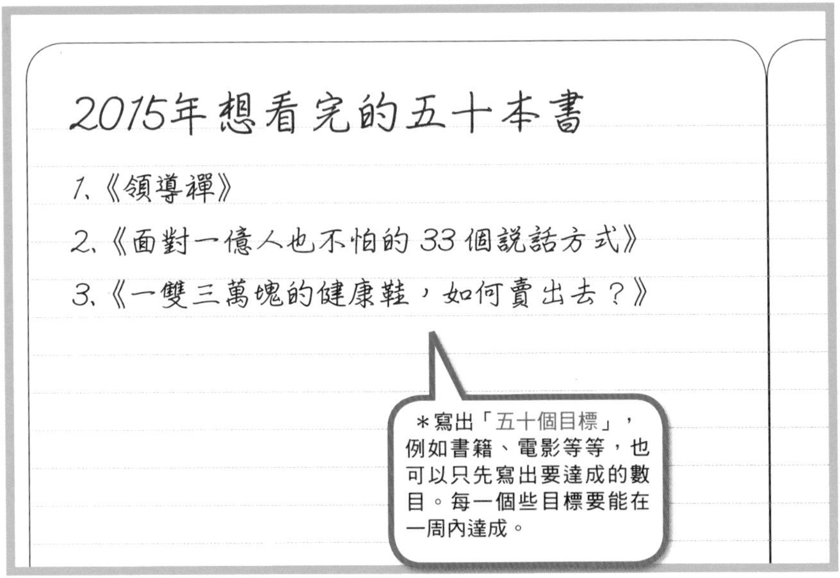
2015年想看完的五十本書
1、《領導禪》
2、《面對一億人也不怕的33個說話方式》
3、《一雙三萬塊的健康鞋，如何賣出去？》
＊寫出「五十個目標」，例如書籍、電影等等，也可以只先寫出要達成的數目。每一個些目標要能在一周內達成。

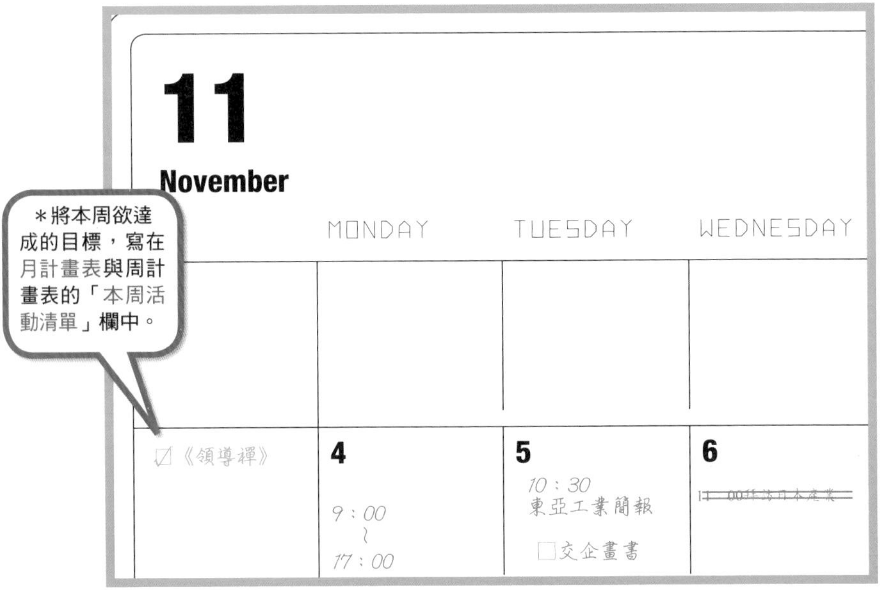
11
November
MONDAY
TUESDAY
WEDNESDAY
＊將本周欲達成的目標，寫在月計畫表與周計畫表的「本周活動清單」欄中。
☑《領導禪》
4
9：00
～
17：00
5
10：30
東亞工業簡報
□交企畫書
6

嗜好方面，可以設定「看完五十部好看的DVD」、「到電影院看五十場電影」、「學習五十種料理菜色」；而工作方面，則可設定「閱讀五十本工作相關書籍」等等。

想要挑戰何種領域，一旦決定之後，可參考上頁圖所示，於手帳的筆記頁寫下「五十大目標」。在目標達成的當日寫下日期，留下記錄。

此外，也可在月計畫表一周欄位旁邊，或是周計畫表左上方，寫下「本周目標／預定達成目標」，例如「觀賞〇〇」、「閱讀〇〇」。這樣一來，只要**每周都能達成一個目標**，一年下來能達成「五十大目標」。

列出清單和數字並寫入手帳，達成率提高九十%！

花上一整年，達成五十個目標，這點其實具有重大意義，首先就是獲得「花一整年達成目標」的成就感。

如果只是漫不經心地想著「今年想多看一些和工作有關的書籍」，其實很難付諸行動，也不知道閱讀哪類書籍比較好，甚至不知道該讀幾本書才夠。但是只要將「五十大目標」列出清單，逐項寫出來，這麼簡單的動作，就能幫助各位達成目標。

出門上班、下班回家……每個禮拜都在重複著相同的行為，但是，將平淡的生活中，加入「五十大目標」的變數，每一周對自己而言，都會是新鮮有趣的一周。

一周一周，慢慢完成一個個目標，相信你在一年後，不管在知識面或精神面，一定都能大幅成長。

不一定要和工作有關才能有所成長，把感興趣的事物設定在「五十大目標」、中，隨著新的手帳，獲得飛躍性的成長！

第3章

手帳整理術，省下50%找東西的時間

只要在六個時間整理，終結桌上的文件山！

「桌上總是堆滿許多物品。」

「不知道如何保存堆積如山的文件。」

乍看之下，這些煩惱雖與手帳扯不上邊，但其實只要善用手帳，就能輕鬆解決這些問題。現在，我們先從整理文件開始做起。

一份文件，要用六個不同時間整理

想要整理一份文件，最好安排六次的「整理時間」。或許有人會覺得「六次太多了！」不過，若是善用手帳，並不會造成太大負擔。記住以下六個時間點：**❶每天一次，❷每周一次，❸每月一次，❹每三個月一次，❺每半年一次，❻每年一次。**

把「整理文件」當待辦事項，每天、每週、每月整理。

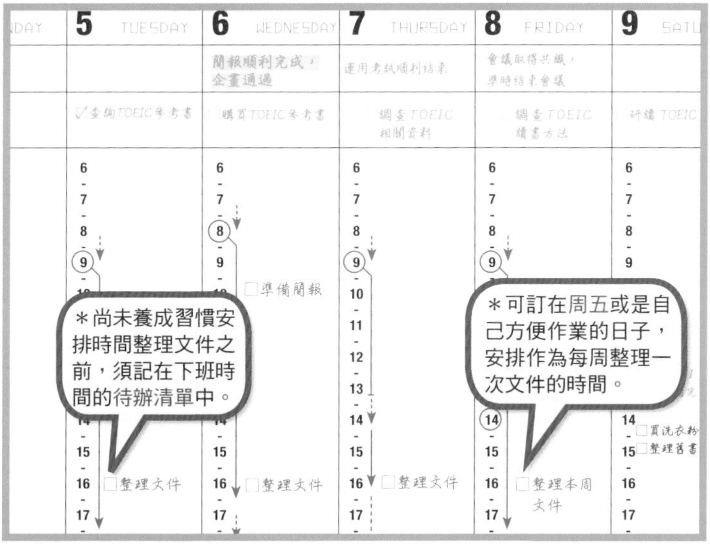
5 TUESDAY
6 WEDNESDAY
7 THURSDAY
8 FRIDAY
9
準備簡報
＊尚未養成習慣安排時間整理文件之前，須記在下班時間的待辦清單中。
＊可訂在周五或是自己方便作業的日子，安排作為每周整理一次文件的時間。
整理文件
整理文件
整理文件
整理本周文件
買洗衣粉
整理舊書

12
December
〔本月應做事項清單〕
整理年底文件
〔本月計畫清單〕
MONDAY
TUESDAY
THURSDAY
FRIDAY
SATURDAY
＊文件整理須每三個月進行一次，以及於年底或年度結束時各進行一次，並記在「本月工作清單」上。也可先安排好一整年的文件整理時間。
＊預定行程還無法確定時，可記在「本周活動清單」的待辦清單中。
整理本周文件
整理本周文件
年底整理文件
9:00
17:00
15:00 開會
整理本周文件

容易將文件積成一堆的人，恐怕從未規劃並利用「整理時間」，將所有文件確實整理過。

「上周用過的會議資料，應該還用得到，所以先保留起來。」

「前陣子剛結案的專案文件，暫時先留著吧！」

當你心中有這種想法，而將文件歸檔，結果卻愈堆愈多，最後才發現，過去一個月內，其實你都沒動過這些文件。

為了避免這種情形發生，在手帳的上述六個時間點中，填入「整理文件」的待辦事項。接下來，我將一一解說為什麼要在這幾個時間點整理文件。

❶每天一次

每天下班前，將當天使用過而且**仍需用到**的文件，分類成**已處理**、**待確認**、**進行中**。尚未養成習慣前，還是得每天在周計畫表下班前的欄位中，畫上勾選方塊，並寫上「整理文件」來提醒自己。

別光是想著「要整理」，而是必須「**記在**」手帳上，實際寫下來才能加強執行的動力。

❷每周一次

累積了一整周的文件，再分類成當下**必須保存**的資料，以及**須處理掉**的資料。可自行安排這個時間須在「每周星期○」進行，並記在月計畫表與周計畫表上，而且兩邊都要畫上勾選方塊。

❸每月一次

整理一整個月的文件時，可養成習慣，將公司關帳日設定為「個人結算日」。倘若結算日不方便時，可設定於「每月○日」。這一天也要記在月計畫表與周計畫表上，而且兩邊都要畫上勾選方塊，如果月底可能較為忙碌時，不妨記在月計畫表旁邊的「本周活動清單」欄中。

❹每三個月一次，❺每半年一次，❻每年一次

「每半年一次」的意思，是指上半年度與下半年度各進行一次；「每年一次」則是在年度結束時進行一次。兩個時間點合併後，就是每三個月進行一次，因此每年大約會在「三月、六月、九月、十二月」整理文件，合計共四次。

請在應該整理文件的月份，於月計畫表的「本月工作清單」欄中，記上「整理文件」。六月及十二月須記上「整理半年度文件」，三月則記上「整理年度總結文件」。只要能落實這種循環方式，就能確保你的桌上，絕對不會出現搖搖欲墜的文件山。

同樣方法，也可用來整理硬碟中的文件

工作上常會使用書面文件的人，規劃資料夾或資料櫃時，不妨依❷～❻的周期進行分類。比方說，放入❷箱子完成分類的文件，再移至❸箱子中，當每月整理一次的時間一到，便只需整理❸箱子即可，如此一來，整理時會更加方便。

各位在判斷「可丟棄文件」時，應該也會感到很困擾吧？不過當文件符合下述條件時，請狠下心來丟棄即可：

❶其他人持有相同文件時。❷已有原始資料（備份）。❸過一年以上，未來使用機率極低的文件。

這種整理方法，同樣適用於整理**電腦內的資料**。「習慣在硬碟裡儲存一堆資料」的人，可參考相同周期，審閱一下自己的電腦。

想快速找到需要的文件，關鍵就是日期

想要順利調閱所需文件時，可以在製作資料夾時有個秘訣。舉凡演唱會門票，或是已標明付款日期的傳票等等，整理這些已經確定使用日期的書面文件時，可以用已經分好三十一日份的資料夾。

這種資料夾共有一整個月、足足三十一天分的夾層，可將當天文件妥善收納。容易將近期文件散落在桌面上的人，使用這種資料夾將有助各位整齊收納，彷彿變魔術般神奇。

下周開會需要的重點摘要、明後天要帶去客戶公司的資料……像這類「**已確定使用日期**的重要文件資料」，就可以放進當天夾層中。當天只要打開那一天的夾層，就能取出當天所需的所有文件。

使用太多文件夾，其實只會造成混亂。歸檔系統如果也能依照手帳**月計畫表**的模式，以「一個月」作分類，就能隨時維持桌面整潔。

另外，例如開會後不被採用的企畫，或是因為各種因素而無法執行的專案，甚至是對工作有助益的資料等等，像這些「**日後可能會派上用場**」的資料文件，也不能隨便丟棄。

像這些下過苦心的文件，未來都可能有鹹魚翻身的機會。如果各位想在突然想起時，就可立即調閱出來的話，建議各位規劃一個「回收再利用企畫資料夾」。

整理書面文件時，活用透明文件夾或資料箱；整理電腦資料時，則另外新增專用資料夾。在命名時，務必加上西元年，例如「二〇一三企劃遺珠」。

彙整以年為單位的資料夾中，日後調閱時也能取代手帳的索引功能，譬如當腦中浮現「那個好像是二〇一三年的企畫」時，就能立刻找出資料。

即使被否決的企畫，也可能在不同時機點，再次提出來執行。而且也經常偶然機會下，出現「需要某些企畫……」的情形。為了隨時整裝待發，請各位將日後可能鹹魚翻身的文件，統一彙整起來，走過的痕跡，就是靈感的寶庫。

寫日期後再依序排列，整理名片超簡單

出社會後，隨著資歷增長，名片也會愈來愈多。一開始習慣放進名片專用夾中，但是爆量的名片，只會變得愈來愈難收納……這種情形屢見不鮮。

先看手帳上的「開會」記事，再依日期找出名片

所以十分建議各位，善用手帳來整理持續增加的名片。承前所述，只要透過「將手帳當作索引」的不同使用方法，保存名片時將會出乎意料地輕鬆又簡單。

而且只需要做兩件事就好：❶**收到名片後，立刻在名片左上方以八個數字標記日期**。❷依照日期**順序排列**，每一個月份用夾子夾起來。

不會吧？就這麼簡單？或許有人會質疑，不過這個方法的優點還不少。

寫上日期後，
將名片以「月」為單位整理。

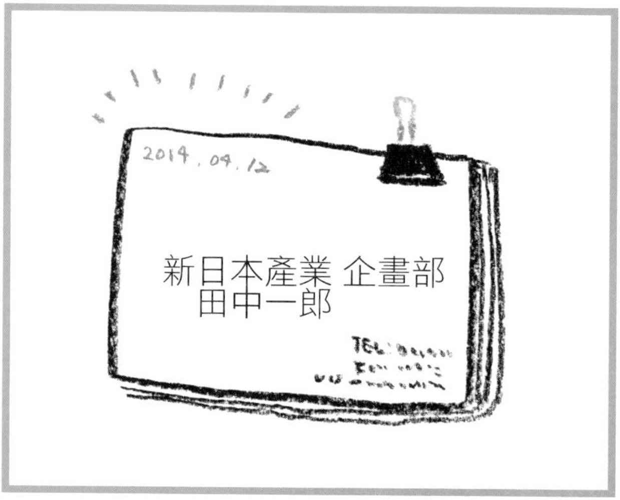
2014.04.12
新日本產業 企畫部
田中一郎

12
December
本月應做事項清單
整理年底名片
本月計畫清單
＊尚未養成習慣前，每周整理一次文件或歸檔的日子，須記在月計畫表與周計畫表的待辦清單上。
＊利用年底或年度結束時，整理一整年的名片，並記在「本月工作清單」上。
2
名片歸檔
3
4
5
9
名片歸檔
12
10:00
關東工程
13
14
16
名片歸檔
19
20
21
＊日後想查閱名片時，先翻閱手帳確認何時前往該公司，或是何時與對方見面，再找出當月的名片堆即可。

＊想查閱舊名片時，只需翻閱手帳即可

舉例來說，想查閱「A公司部長的名片時……」，只要翻一翻手帳，找出與對方會面的日期，接下來只要從該月分的名片堆中，找出當天的名片即可。

比起依五十音順序歸檔的名片，不但更容易查詢，而且不管名片再多，收納起來也不花時間。

＊不占空間，也方便丟棄

市售的資料夾總是很占空間，而且不斷添購也需花費不少費用。但是利用夾子或橡皮筋整理收納，就能輕鬆省下許多收納空間。

此外，想丟棄老舊名片時，只需從**年份最久**的名片依序丟棄即可。而且工作上主要來往的對象，大多會利用電子郵件聯絡，所以大多數的人都認為，「萬一需要聯絡時，沒有名片也無所謂」。

而且只要超過三年，**人員異動或職位變動**的情形也是常有的事。所以請各位最好以三年為基準，將老舊名片處理掉。

每周一早上，花五分鐘整理名片、提起幹勁

利用電腦軟體管理名片資料時，必須每周整理一次，並將「□整理名片・歸檔」記在手帳待辦清單上。只要同時記在周計畫表與月計畫表上，就能提醒自己不會忘記整理。

因為屬於行政類的作業，不妨利用**每周一早上**，工作情緒尚未上緊發條時，將上周的名片資料，一口氣建檔完畢。當然，也可於周五將當周的資料全部整理好。

無論是用夾子整理好的名片堆或資料，年度結束時，都必須檢查是否有需要丟棄的名片或資料。這項工作也要記在月計畫表三月的「本月工作清單」上。

定期整理名片，才能善用難得的人脈，成為未來的墊腳石！

書櫃上，只留用得到的書籍

工作用參考資料，或是個人愛看的小說等等，想丟掉卻捨不得丟的代表性物品，就屬「書本」了。

不過只要利用「將手帳當作索引」與「養成整理習慣」這二種方法，就能解決整理書本的問題。

每三個月定期整理書櫃，哪些該留？哪些該丟？

書本會堆積如山的原因有下述二點：❶沒有安排定期整理的時間。❷想整理**卻不知道哪本書該丟、哪本書該留**。

首先養成定期檢查現有藏書的習慣，雖然可視購買書籍的頻率或持有書籍的數量

每三個月整理一次，並在看完當天決定去留。

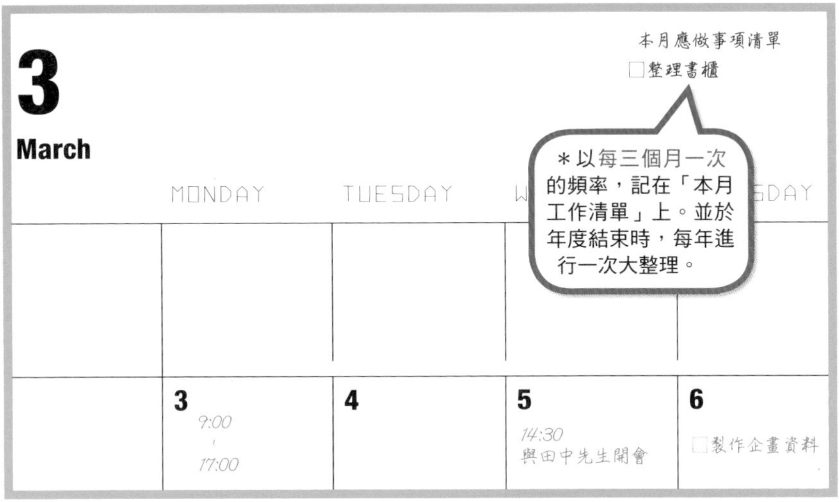
3
March
本月應做事項清單
□整理書櫃
＊以每三個月一次的頻率，記在「本月工作清單」上。並於年度結束時，每年進行一次大整理。
MONDAY
TUESDAY
3
9:00
17:00
4
5
14:30
與田中先生開會
6
□製作企畫資料

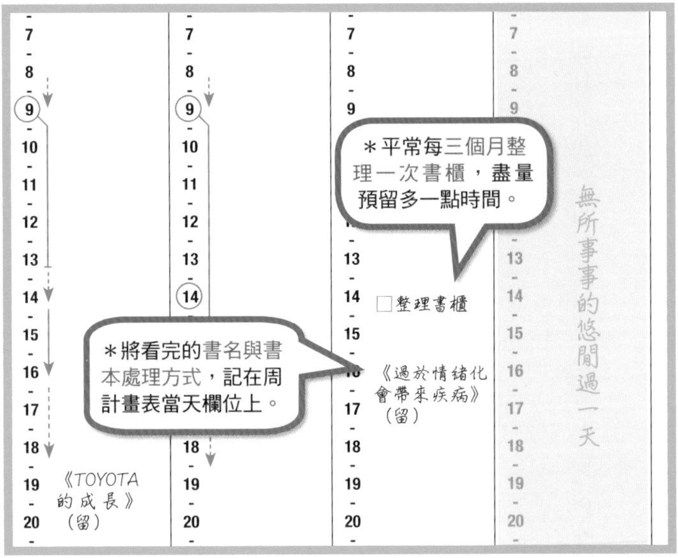
《TOYOTA的成長》（留）
＊將看完的書名與書本處理方式，記在周計畫表當天欄位上。
＊平常每三個月整理一次書櫃，盡量預留多一點時間。
□整理書櫃
《過於情緒化會帶來疾病》（留）
無所事事的悠閒過一天

來調整，但是最好每三個月整理一次。看哪一天有空，就將「□整理書櫃」記在待辦清單上，並畫上勾選方塊。同樣也可以事先記在月計畫表的「本月工作清單」欄上。

安排出整理時間後，便要著手整理書本了。請將所有書籍區分成下述三種類型：

❶保留，❷丟棄，❸賣掉

不過還有一個很大的問題，就是「區分成三種類型，很花時間」。當各位煩惱著，這本書該怎麼處理或是那本書該不該丟掉的當下，只會讓時間白白消失而已，這正是整理書櫃很麻煩的原因。

看完書後，在當日手帳上決定去留

想要解決這個問題，就要養成「書本看完後，立即處理掉」的習慣。

利用手帳的周計畫表欄位，每當書本看完後，便在當日欄位中寫下「（書名）賣」或「（書名）留」，將「書本如何處理」的方式，也一併做好筆記。

做好筆記後，不但能馬上知道書本何時看過，自己也能清楚明瞭對於這本書的「心得」。只要依據「心得」，就能快速進行整理。

另外，一直想看卻沒時間閱讀的書籍，也就是「擺好看的書」，也可以透過下述方法獲得解決。很想整本看完的書，請重新從最想看的書籍依序擺放，並在手帳「本周工作清單」欄中畫上勾選方塊，再將書名清單寫上去。透過可視化的方式，激勵讀書的動力。

另外，**衝動購物**下所買的書本，現在已經恢復理智的話，可將不看的書本依照❷和❸的方法處理掉，因為沒興趣閱讀的書，不管擺多久還是不會看。不如乾脆地處理掉，並以「現在想看的書」、「現在應該讀的書」為優先，更能大大**提升閱讀的品質**。善用手帳，不僅能獲得新知，也能同時擁有整潔的空間！

寫上一行字，讓工作環境清爽又整齊

不知道各位的辦公環境，是否整理得乾淨又整齊？但是我想，有以下煩惱的讀者應該佔大多數：

「雖然稍微有整理，但沒多久又變得亂七八糟。」

「雖然想整理，但是工作一忙起來，就會開始堆東堆西……」

不擅長整理或收拾的人，應該長久以來苦於無法立刻找出自己需要的物品。

桌上一團亂的人，工作過程也亂七八糟

俗話說，各位的桌面就像大腦的縮影。切記，無論工作再努力，桌面要是亂七八糟，別人很容易質疑你的工作能力。到底該如何用最少時間，將辦公環境整理乾淨呢？此時，手帳就能派上用場。請善用手帳，養成整理的「習慣」。

用手帳養成整理桌面的好習慣。

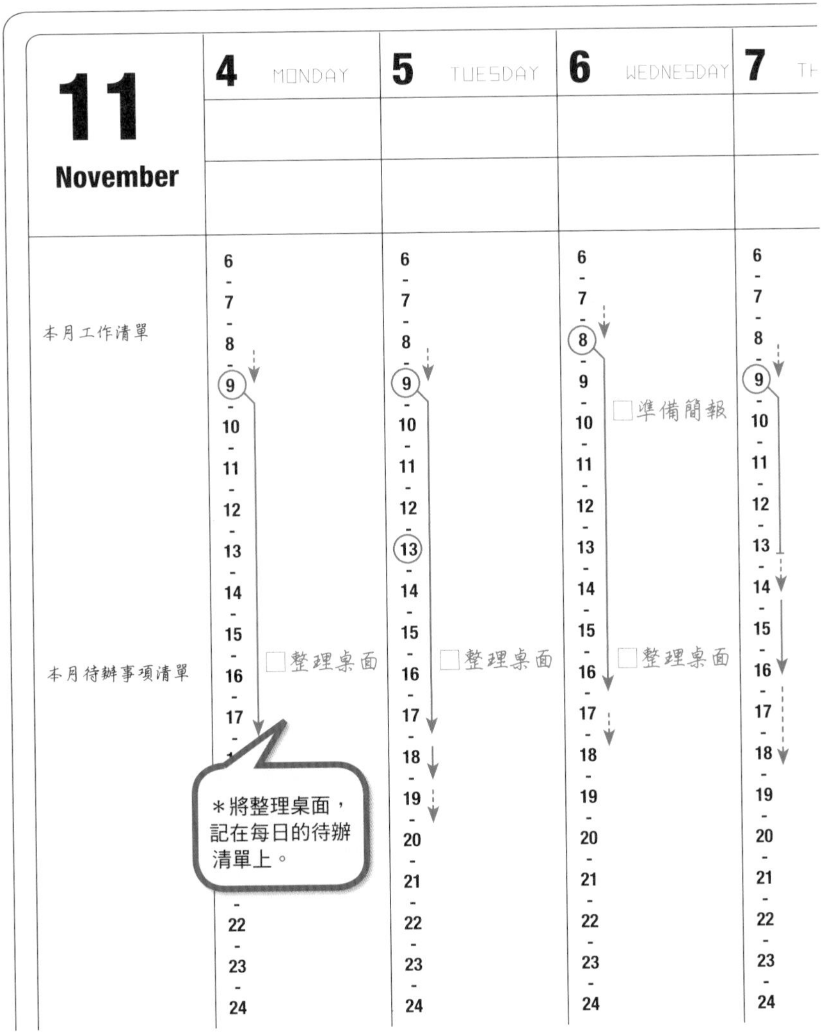
11
November
4 MONDAY
5 TUESDAY
6 WEDNESDAY
7
本月工作清單
本月待辦事項清單
整理桌面
整理桌面
準備簡報
整理桌面
＊將整理桌面，
記在每日的待辦
清單上。

基本上，每天下班時都要整理辦公環境，同時這也有安全面的考量。在周計畫表中的下班時間欄位上，畫上勾選方塊並記上「□整理桌面」。

只要記在手帳上，就能達到「**自我約束**」效果，強烈提醒自己。所以養成習慣前，每天都必須記上去。

整理自己的工作環境時，還有三個秘訣：

❶避免擁有重複性物品，果斷地留下一個即可。

舉凡剪刀或訂書機等等，相同種類的文具是否就有好幾個？留著只會**占空間**而已，多的可以還給總務室，只需留下必要數量即可。

❷借用他人的物品，當天歸還。

借用物品立即歸還，這樣還能提升別人對自己的**信任感**。

❸規劃每個東西應該歸位的地方。

東西用完後隨處亂放，所以老是在找東西……像這類型的人，務必將當天使用過的物品，**物歸原位**。

在桌上安排手帳的固定位置，完全掌控自己的行程

另外，想要避免東西愈變愈多時，最要緊的就是「**避免購買不必要的物品**」。只要利用下一節介紹的「購物清單」，就能防止衝動購物與購買不必要的物品。

將整理桌面與P116所介紹的文件整理同時進行的話，就能在下班時養成「整理文件與桌面」的習慣，讓自己在隔天上班時，工作起來更有效率。

將辦公環境整理乾淨後，請務必規劃一個**翻開手帳**的固定位置。將位置固定於慣用手的一側，接電話時就能馬上翻開手帳或小筆記本做筆記。也可以邊看電腦螢幕，同時將新的預定行程記在手帳上，完成連貫的動作，更能使桌邊貼滿待辦事項紙條或便條紙的情形，不再復見。

規劃出在桌上寫手帳的固定位置，就能讓你的辦公桌搖身變為駕駛座，由你完全掌握工作的進度與方向。

寫出細節的購物清單，避免衝動購物

各位一定不敢相信，只要在手帳筆記頁列出「購物清單」，除了可以減少浪費行為與衝動購物，還能避免身邊物品不斷增加，甚至可以心想事成，獲得寫在購物清單上的東西。

請各位先依照上頁的範例，於手帳後的空白筆記頁，列出想買的「購物清單」。接下來，再由上至下依序填入編號，並加上日期，將想買物品依序寫上去。因為這項工作會「令人充滿期待」，所以請用綠筆做筆記。

「購物清單」可減少浪費，還能加快夢想成真

列「購物清單」時，要特別注意：想買物品須盡可能具體描述出**細節處與金額**。

清單上除了想買的物品，也要加上購買的金額和日期。

購物清單

序	日期	品名	預算	實際花費	入手日
1	12/1	冬季大衣（咖啡色、毛料）	4000圓	3600圓	12/1
2	12/1	手錶（黑色皮質、錶帶粗一點）	20000圓		
3	12/10				

＊具體描述出想買物品的細節處。

＊實際入手後，用綠色螢光筆做記號，再寫下實際花費金額與入手日期。除了可有效避免浪費之外，若能在預算內購買得到，也會有賺到的感覺。

▲具體想像「想買的東西」，避免一時心血來潮亂花錢。

例如，「想買冬季外套，而且最好是今年的新款式」，此時，在出門購買前，先具體想像一下「想要什麼款式的外套」。例如什麼顏色、何種材質、預算有多少，將想得到的**細節**全部記下來。

購買前先想像出具體的樣子，才不會發生「心血來潮出門購物，原本想買A，卻在不知不覺間被店員推銷B而買下」的額外消費。不然買了B回家後，才發現家裡早就有相同的東西，一定會讓人很懊惱，或是荷包在計畫外大失血，買了之後一點都不高興，還後悔萬分……這種情形，是不是常常發生呢？這些都是沒有「具體想像」想買物品的細節，才會造成衝動又不快樂的購物。

列在「購物清單」的東西一旦買到手後，須用綠色螢光筆做記號，重溫買到當時的喜悅感。此時再將**實際購買金額**也記上去，那就更完美了。如果正好遇到大拍賣，買到更便宜的價格，會有賺到的感覺；如果超出原本預算時，也能調整自己對金錢的概念。

想買什麼物品時，先列出「購物清單」，這樣一個小動作，就能讓你買得划算，又買得開心。

清單不只提醒自己，也讓大家幫你圓夢

這份「購物清單」還具有神奇效果，就是「將想買物品記下來，入手機會就會奇妙地增加」。

舉例來說，當各位想買一台新的ＤＶＤ播放機時，只要記在清單上，很容易在與周遭朋友閒聊中，提到相關話題，這時候，「說到這個，上次高爾夫比賽送了一台，正好我家用不著……」。你在出乎意料的情形下，不斷發生有趣巧合，讓想買物品奇蹟似的到手。

如果想買物品以低於預算的價格入手時，可將省下來的錢存起來，讓存款在不知不覺間增加。不花分毫、只需記下來的「購物清單」，這種手法一定要好好活用！

寫下購物時的心情，了解自己真正的需求

壓力太大時，很容易藉由「購物」來減輕壓力，這也是最容易消除壓力的方法之一。但是回家後，是不是會常常後悔，「啊——居然買了。明知道這個月超支了……」

花錢是需要？還是想要？

還有，你是不是常發生這樣的狀況？「後來才發現同類型的T恤家裡有好幾件」、「一忙起來就會上網買遊戲或漫畫，結果根本沒玩或沒看過，只會愈堆愈多」，如果你常出現這些行為，更得多加小心。

很明顯，這都是為了抒發工作壓力，才會導致的「**壓力型購物**」。縱使衝動購物

寫下購買之後的心情，檢討自己是否真的需要？

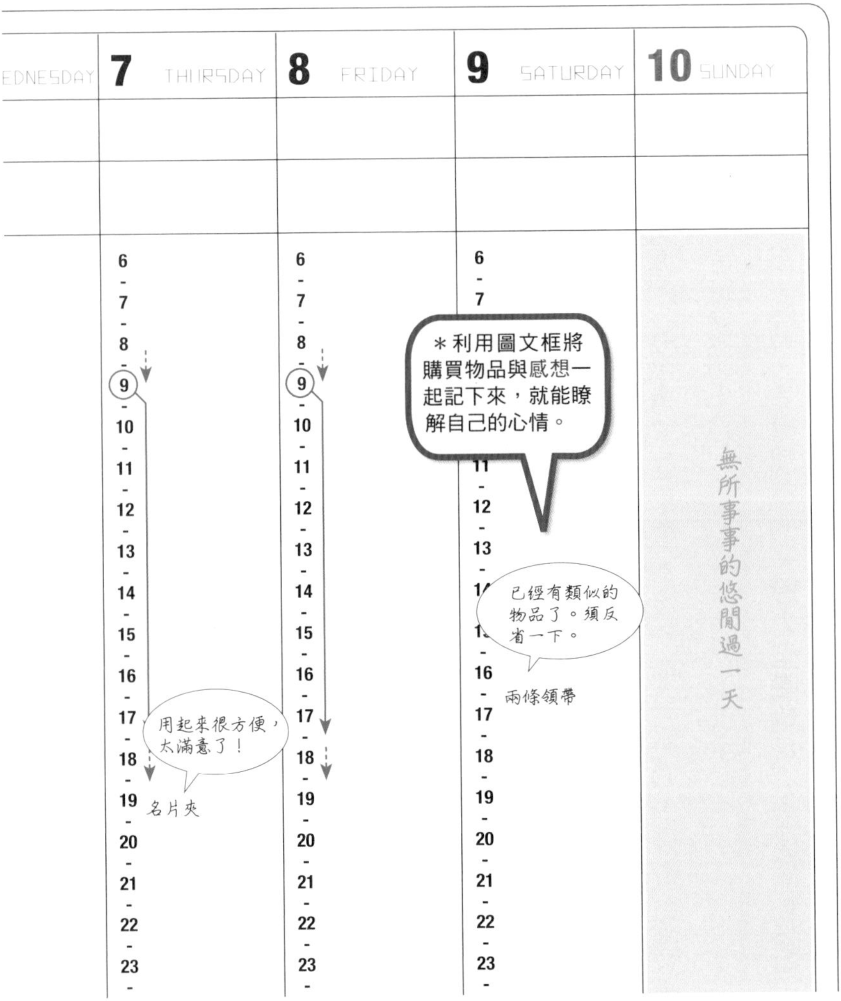
EDNESDAY
7 THURSDAY
8 FRIDAY
9 SATURDAY
10 SUNDAY
＊利用圖文框將購買物品與感想一起記下來，就能瞭解自己的心情。
用起來很方便，太滿意了！
名片夾
已經有類似的物品了。須反省一下。
兩條領帶
無所事事的悠閒過一天

看似能消除壓力，但也只是暫時的，根本無法完全消除身上的壓力。反而還會因為「壓力型購物」帶來更多壓力，使自己愈來愈沮喪……當各位一掉入這種消極的旋渦當中，其實是很危險的一件事。

為什麼會造成「壓力型購物」呢？那是因為各位想買的不是「物品」，而是打開錢包時**獲得解放的「感覺」**。或許是將工作上無法發洩的鬱悶，投射在花錢的行為上，將之傾洩而出。或是期待「買了東西之後，就能出現『什麼』改變」，而想透過購買行為獲得這種「感覺」。雖然多少會因人而異，但是只要無法適當滿足這種「感覺」或「需要」，便無法消除「想要購物」的欲望。

承前所述，「購物清單」能有效防止衝動購物，接下來將進一步，利用手帳來探究各位真正的「心情」，瞭解「為什麼會出現壓力型購物現象？」

你真正的需求，可以買得到嗎？

在每次購物後，於周計畫表當天欄位，記上購買物品清單。同時在購買品名處加上圖文框，描述一下「當時購買的心情」。「很喜歡，買了之後很滿足！」、「用起來不太方便。」、「已經有類似的東西，有點後悔。」等等，出手時雖然很快樂，但是回家重新檢視一遍後，是否發現心境變得不一樣了？

另外，利用圖文框記下與「購買物品」相關的感覺，自然就能看出自己真正需要的是「什麼」。

＊智慧型手機或電腦等**電子相關用品**——希望自己的「**工作更出色**」。

＊枕頭或床墊等**健康用品**——想**消除身心疲勞**，恢復健康。

＊商用**書籍**、證照**參考書**——想習得**知識**或**技能**。

＊**服飾**——希望自己「**外表更吸引人**」。

上述幾點全都是各位內心深處對自己期望的理想圖，恐怕無法「單靠購物」來獲得滿足。壓力型購物大部分原因，皆來自於「**無法達到自我理想所引起的焦慮感**」。

而手帳正好可以用來督促自己的行動，幫助自己實現理想。因此告別「壓力型購物」的捷徑，就是開始跨出第一步，達成自己的理想。

每年兩次，只花一天整理衣櫃就夠了

手帳還有一種好用途，就是整理容易在不知不覺間爆滿的衣櫃，還有搭配符合季節感的服裝。

換季時整理衣櫃，只留適合自己的衣服

首先，最適合整理衣服的時期，就是**衣服換季**的時間。

一般來說，通常會在六月換成夏季服裝，十月換成冬季服裝，不過最近大約在五月左右就會轉成夏季氣候，因此也可以在五月與十月時整理換季衣物。

只要在月計畫表中，五月及十月的「本月工作清單」欄位，記上「整理換季衣物（半天）」即可，等時間一到，就能立刻規劃整理換季衣物的時間。

在端午和中秋後，進行衣櫃換季

5
May
本月工作清單
□整理換季衣物
MONDAY
TUESDAY
＊基本上，整理換季衣物可於五月及十月進行。事先記在月計畫表欄位中的〔本月工作清單〕上，才能提醒自己不會忘記。
□整理換季衣物
5
□整理換季衣物（半天）
6
8
＊時間安排好了之後，可同時記在月計畫表與周計畫表上，順便寫上需花費的時間，以便休假日的時間安排可以萬無一失。
12
9:00
17:00
13
15
19
20
21
22

▲一次半天，一年花一天整理就夠了。

整理換季衣物說來簡單，但是專心整理起來，其實很花時間。所以可在後頭記上「（半天）」的預估時間，這樣就能適當規畫休假日的行程。

其實整理衣服與整理書本一樣，大致上可區分成三類：

❶保留，❷丟棄，❸賣掉、送人。

回想當初購買的心情，決定衣服的去留

如果不知道如何判斷時，請各位回想一下，前文中曾教大家記下的「購買當下的心情描述」。購買這些衣服時的心情如何？無意中買了才發現有類似的衣服、買了之後才發現不適合……像這類的衣服，即使還很新，最好還是處理掉。

「雖然看起來有點過時，不過或許還會穿。」

「這件套裝，好像有點退流行了？」

像這類的衣服，通常很捨不得丟掉吧？這時候不妨先用**別人的觀點**來審視一下。

對於穿上這件衣服的人，各位會有什麼感覺呢？「覺得不是很搭……」當你有這種想法時，就把這件衣服丟掉吧！

有時身邊也會有別人送的，所以捨不得丟掉的物品，這時也回想一下當時「收到時的感覺」。

感覺如何呢？很興奮嗎？老實說，如果不是自己會感到興奮的物品，其實根本「不怎麼喜歡」吧？說不定，收下後只會占空間而已，這時候不如乾脆的丟掉。

接下來，還有一個整理換季衣物的重點。你有沒有發現，這幾年來，適合穿著「春秋季服飾」的時間愈來愈多。結果整理換季衣物時，其實只剩下「夏衣」與「冬衣」兩季衣物需要整理。

因此，我們可以在衣櫃左側收納春秋季服飾，方便隨時拿進拿出；而右側則作為收納夏衣與冬衣的空間，換季時再將衣物對調即可，這樣輕而易舉就能完成換季衣物的整理。

抽屜式收納箱也可利用相同模式進行整理，將抽屜交換過來即可。只要設計出一套可輕鬆整理換季衣服的機制，整理衣物就能變得輕鬆又愉快。

在周計畫表上，寫出預定和額外的支出

出社會後，「財務管理」是每一個人都必須學會的技能。相信很多人也會將存款目標金額，寫在年度清單的「金錢」欄中。

把花費寫在預定行程後，才是最好的支出明細

「不記帳」金錢的管理模式，與有條理「記帳」的管理模式，將會出現極大落差。因此感覺自己容易浪費，總是月光族的人，現在就開始用手帳進行財務管理。

應該有很多人已經有記帳習慣，知道先將自己的薪水、必需生活費、儲蓄金額等數字全部列出來，清楚掌握「**可用額度**」有多少。

瞭解有多少可用額度後，可在每個月月初，**將「本月可用額度」記在周計畫表上**

除了花費之外，
也要將心情記錄下來。

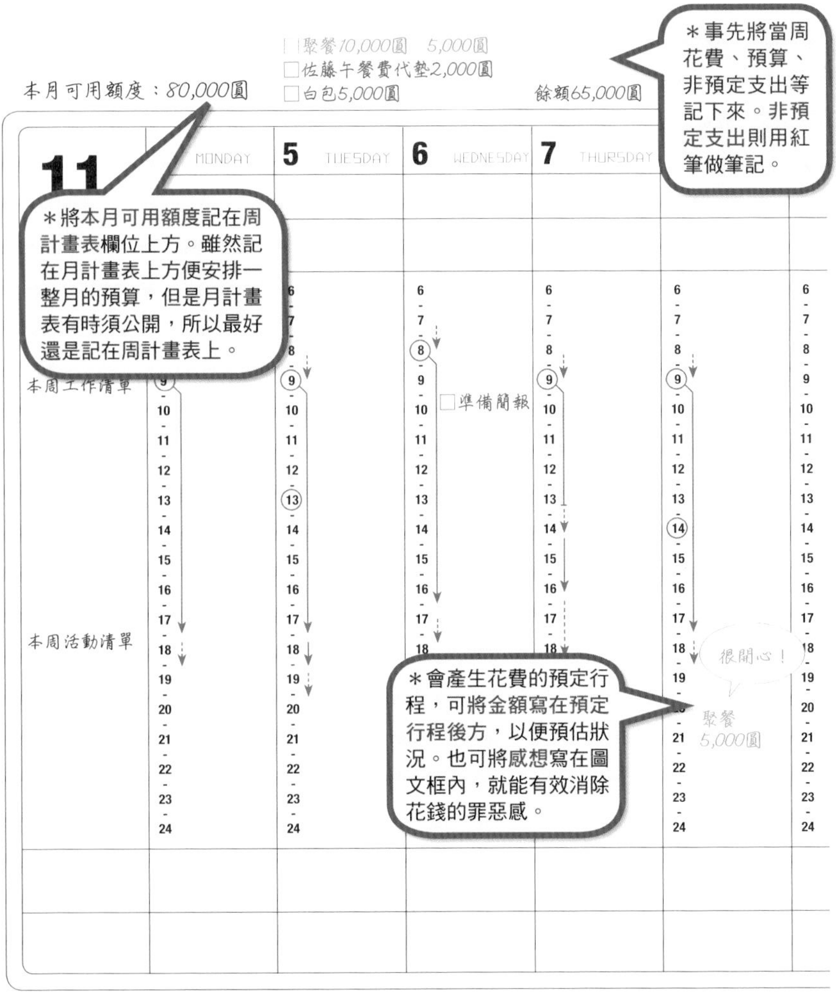

□聚餐10,000圓　5,000圓
□佐藤午餐費代墊2,000圓
□白包5,000圓
本月可用額度：80,000圓
餘額65,000圓
＊事先將當周花費、預算、非預定支出等記下來。非預定支出則用紅筆做筆記。
11
MONDAY
5 TUESDAY
6 WEDNESDAY
7 THURSDAY
＊將本月可用額度記在周計畫表欄位上方。雖然記在月計畫表上方便安排一整月的預算，但是月計畫表有時須公開，所以最好還是記在周計畫表上。
本周工作清單
本周活動清單
□準備簡報
很開心！
聚餐
5,000圓
＊會產生花費的預定行程，可將金額寫在預定行程後方，以便預估狀況。也可將感想寫在圖文框內，就能有效消除花錢的罪惡感。

方欄位中。記得不要寫在可瀏覽一整個月行程的月計畫表，而是記在周計畫表上，才能避免隱私外漏。

如果能在月初就知道該月份大概會支出多少費用時，可事先將預定金額記下來，例如「聚餐五千圓」。將**預定行程與金額一併記下來**的話，就能控管當月「自己可自由使用的額度」，維持收支平衡。

現代人多用電子零錢，記帳才能看得見金錢流向

當然最好不要超出預算，如果預算超支了，或是有非預定支出時，就用紅筆做筆記補充說明。想要減少支出的人，就要注意紅筆標記處得愈少愈好。接下來，等到下周一到，再將已扣除使用額度的金額＝可用額度，記在上方欄位中。

P140已說明過，只要能養成習慣，每次購物時都把心情記在周計畫表上，就能減少浪費行為。

此時只需記上「大約額度」即可。若像記家計簿一樣算到個位數的話，一旦帳目有出入時，就會形成壓力。

只要能控制在「金額短少也不會造成心情起伏」的範圍內，少許誤差也無妨。雖然這個金額會因人而異，不過容許範圍應在三百～五百圓左右。當誤差超出上述金額時，請在下周填寫金額時加以修正。**誤差大＝小錢花得多**，所以此時也正好能讓浪費無所遁行。

生活費若能單純以現金進行管理的話，就能隨時掌握餘額，不過從銀行提款，或是利用信用卡、電子錢包的機會愈來愈頻繁，所以很難瞭解目前花費多少，也很難實際感受金錢進出狀況，所以很容易在不知不覺間花錢花太兇。

所以更要利用手帳，讓金錢進出流向看得見。想要更精確進行財務管理的人，也能利用筆記頁或小筆記本，管理金錢進出情形。或許有些人會使用電腦記帳管理家計，不過手帳的好處就是想到時可以立刻做筆記。所以請先利用隨手可得的工具，掌握自己的金錢收支狀況。

加上心情和行程的支出明細，最有省錢成效！

花錢時心情和數字，都要記錄下來

各位如果想減少浪費，增加存款的話，最好善用手帳，將金錢「可視化」。現在將為各位彙整，「如何善用手帳讓錢愈變愈多的方法」。

❶將存款目標金額，記在「年度清單」上

首先，請確定想要達成的目標，並將數字記下來。或許有人會認為「沒什麼特別想買的東西，所以不用儲蓄也無妨……」

但是，假設各位決定在一年內存款「十萬圓」，一年後當各位達成目標時，除了能夠擁有十萬圓存款，還能因為「達成目標」而獲得莫大自信。以一個月薪四萬的上班族來說，只要擁有相當於三個月份薪水的存款，就能維持失業時的生活所需，所以

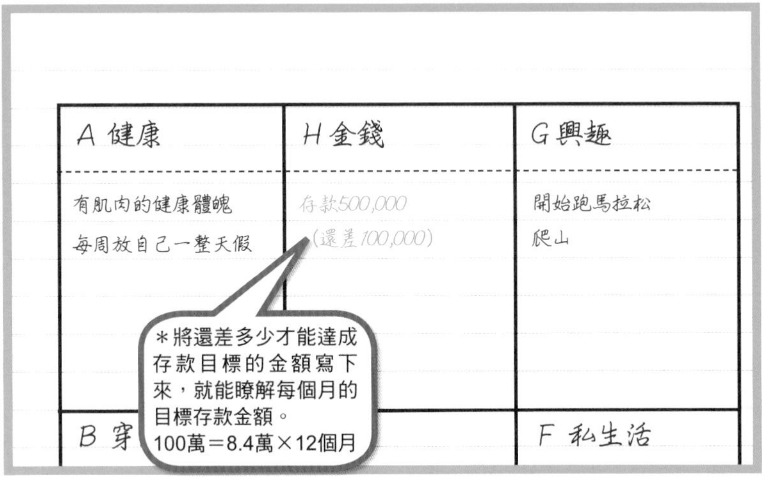
A 健康
H 金錢
G 興趣
有肌肉的健康體魄
每周放自己一整天假
存款500,000
(還差100,000)
開始跑馬拉松
爬山
＊將還差多少才能達成存款目標的金額寫下來，就能瞭解每個月的目標存款金額。
100萬＝8.4萬×12個月
B 穿
F 私生活

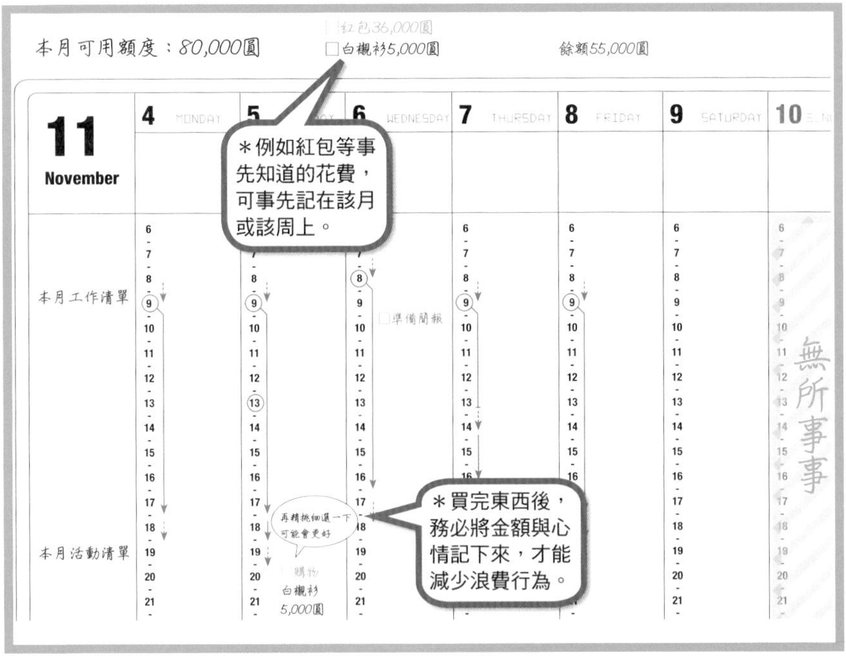
本月可用額度：80,000圓
紅包36,000圓
白襯衫5,000圓
餘額55,000圓
11
November
4 MONDAY
5
6 WEDNESDAY
7 THURSDAY
8 FRIDAY
9 SATURDAY
10
本月工作清單
本月活動清單
準備簡報
再精挑細選一下可能會更好
購物
白襯衫
5,000圓
無所事事
＊例如紅包等事先知道的花費，可事先記在該月或該周上。
＊買完東西後，務必將金額與心情記下來，才能減少浪費行為。

只要能存下十萬圓，就能作為資產運用的基礎。為了以防萬一，也可作為將來投資所用，請各位將存款目標金額明確地寫出來。

倘若存款是為了當作「購屋頭期款」、「買車頭期款」，像這類龐大的金額，得花好幾年才能達成的目標，請先在「人生清單」中具體寫出期限，例如「在〇年內存到〇圓」。接著，再將目標金額除以年限記在「年度清單」上，就能清楚瞭解今年的目標額。最後，將每月存款目標金額記在月計畫表上，自然就能計算出本月可用額度有多少。老是說「有多餘的錢再存下來」的人，是絕對存不了錢的，而且很容易賺多少花多少。所以當各位決定存款金額後，可在發薪日先預留下來，或是轉帳到存款專用帳戶，這也是能確實存下錢的秘訣之一。甚至可將存款日記在手帳待辦清單上，使存款變成一種模式固定。

❷將「本月可用額度」、「預定支出」記在周計畫表上

將金錢出入「可視化」提醒自己，就能瞭解每月金錢的流向。

例如參加婚禮等等，婚喪喜慶的花費其實還不少。像這類事先確定的預定行程，可先在當日做筆記。

❸列出「購物清單」

列出「購物清單」，可避免買東西時的浪費。只要能仔細做筆記，例如「下個月想買外套，所以這個月要減少支出」，為大筆支出編列預算，就能事先備妥款項。別只是作白日夢，想買的物品、必需的物品只要能夠加以「可視化」，就能使購物更有效率。而且，也有助於精準掌握「真正需要的物品、應該購買的物品」。

❹購物後，將「心情」記下來

想要從根本解決壓力型購物時，可於購物後將購買物品的名稱，與購物後的心情記在圖文框內。

如果大多是負面的情緒，就可懷疑自己真正想要的並非「物品」。如果手帳上大多是正面的情緒，就代表各位的生活十分順遂。只要回顧手帳，就能感覺每一天都過得比前一天更充實。

立即見效的手帳鍊金術，現在開始馬上試看看！

第4章

把「心情」記下來，讓手帳幫你實現夢想

不喜歡的工作，如何利用手帳順利完成它？

到目前為止，手帳筆記術已針對安排預定行程的方法與每天待辦清單等等，將順利完成行程表進度的方法介紹給大家了。

接下來將介紹更多方法，讓各位的手帳可以進階成威力十足的武器，其中一項，就是將「心情」記在手帳上。

手帳除了能管理行程，也能激發士氣，讓不悅的心情消失。藉此，讓各位的行動得以與未來全面接軌。

相信每個人都有過這樣的經驗，面對某項工作，總是提不起勁，或是連碰都不想碰。比方說，「想到那個案子就煩」，或是「那份文件差不多該開始動手處理了，但是一直不想開始」，這些不喜歡的工作，都能透過手帳獲得解決！

首先針對你不喜歡的這項工作，認真思考一下，**為什麼會讓你產生「不喜歡的感**

行動、結果、反省：加強自己的能力。

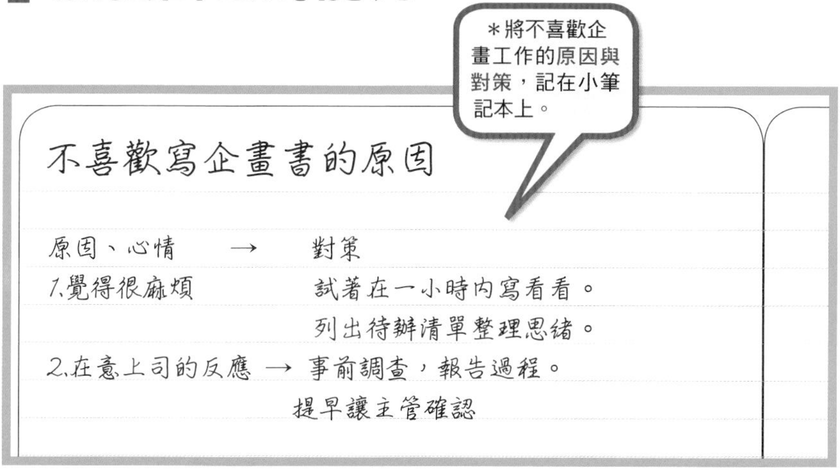
＊將不喜歡企畫工作的原因與對策，記在小筆記本上。
不喜歡寫企畫書的原因
原因、心情 → 對策
1.覺得很麻煩 試著在一小時內寫看看。
列出待辦清單整理思緒。
2.在意上司的反應 → 事前調查，報告過程。
提早讓主管確認

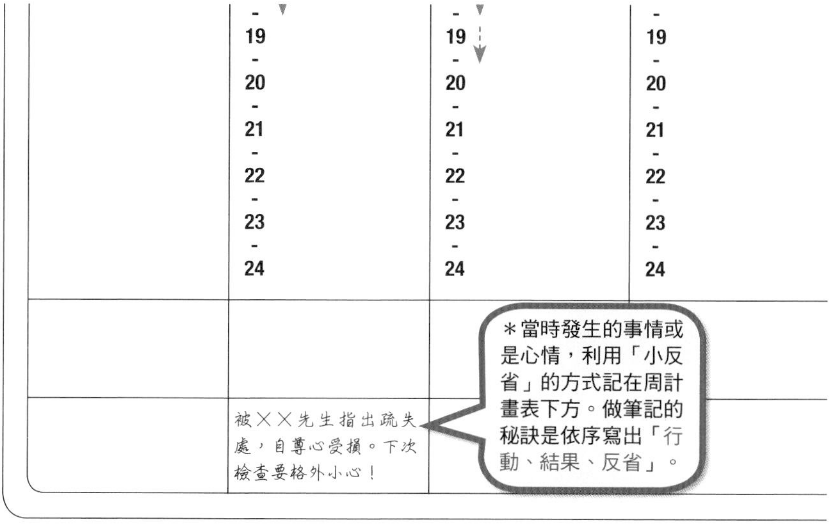
19
20
21
22
23
24
19
20
21
22
23
24
19
20
21
22
23
24
被××先生指出疏失處，自尊心受損。下次檢查要格外小心！
＊當時發生的事情或是心情，利用「小反省」的方式記在周計畫表下方。做筆記的秘訣是依序寫出「行動、結果、反省」。

覺」（壓力）。仔細從內心省思，就能明瞭自己為什麼對那項工作帶有負面的情緒。為什麼不喜歡那項工作？仔細思考原因，然後寫在小筆記本上。將你的心情用文字表達出來，也就是讓自己的想法化為看得見的文字。

進行這項作業時，一開始可能會感到很困惑。不過只要能將心情具體寫下來，就能明白自己心中為何不安，並平靜下來。透過這種行為，就能減少一些壓力。

把不悅的負面感覺寫出來，化為正面的反省力

事實上，詞句與壓力有著莫大關係，愈是能將自己想說的話或是心情表達出來的人，通常壓力就會愈少。因此**壓力大的人，愈不瞭解自己內心的負面情緒，或是不擅長將心情表現出來。**「不悅的感覺」會阻礙工作士氣，對工作產生不安的情緒。若能將「不悅的感覺」化成看得見的文字，就能發現「不悅」也有各種模式，自然就能找出解決方法。

＊「大多為單調作業，很乏味」、「很花時間，相當麻煩」

這些都是作業或工作內容本身的問題，此時，只要記在手帳的待辦清單上，提醒自己這些都是「待辦工作」。

容易拖延的工作，更應該**確實安排出作業時間**，記在手帳上。只要能在手帳上列出待辦事項清單，就容易排出作業時間。並且刻意提醒自己，「在這段時間內完成這項工作！」就能產生動機，先著手完成棘手工作。

也可以利用「□每日一綠」這種好方法，來激勵自己完成工作，安排一些立即可行令人期待的待辦清單，例如「工作結束後去逛逛街」、「喝杯好喝的咖啡」等等。

＊「和對方負責人員合不來」、「開會時被數落」

這些則是「因為人際關係，導致對工作出現負面情緒」的情形，人際關係方面的問題或壓力，總是很容易造成工作上的困擾。

此時也將這些情緒寫下來，才能獲得解決。利用周計畫表最下方的部分，用三行文字記下自己的心情。這也是最能簡單且客觀省視自己內心的方式，所以稱作「小反省」。

舉例來說，與工作對象開會討論時被指出疏失，但是對方言辭過於犀利造成自己不悅……像這種時候，可藉由下述方式，利用三行文字記下應該「反省」的重點。

第一行：行動——被A先生指出疏失處。

第二行：結果——自尊心受損。

第三行：反省——下次要充份檢查後再提出來。

這樣就能將各位心中不悅的心情或負面情緒，轉變成日後的對策。**只需在遇到「感覺棘手的工作」時，記下小反省即可**，並不需要勉強自己每天做筆記。藉由不斷的小反省，就能清楚瞭解「這件工作，為何棘手」的原因。

如果因為自己疏失而造成對方動怒時，就要小心避免。如果事實並非如此，單純是對方說話方式令人不悅或是刻意中傷時，就得想辦法與對方保持適當距離……把感覺寫下來，學會解決方法，並在精神面做好自我防衛。

或許有人不相信，利用一本手帳就能掌握自己的情緒，還能解決人際關係方面的問題。其實**光是「把心情寫下來」，就能正視自己內心的想法**，只要能做到這點，日後解決各種問題時，都將出乎意料地簡單。

待辦清單上，要分「今天做」和「明天做」

每天的工作堆積如山，怎麼做都做不完……愈是忙碌的人，更須從清楚掌握自己「真正的待辦清單」做起。

今天要完成哪些事？前一天下班列出來

在我每個月舉辦的手帳講座中，有位剛成為一名律師的男性學員。他的煩惱就是工作多到做不完，他拿著一本A4尺寸大小的特大手帳給我看，裡頭寫著滿滿的待辦清單。不過仔細一看，當天必須完成的待辦清單其實只有三～四行。其他都是陸續新增的事項，純粹是為了提醒自己而寫下的「備忘筆記」。

無法區分「今日待辦事項」與「非今日待辦事項」的清單，無法稱作真正的「待辦清單」。今天也無法完成，明天也無法完成，只會徒增壓力的清單，不列也罷。而且手帳尺寸愈大，記錄事項也會變多，衍生出更多問題。

最好先瞭解自己當天可以完成多少待辦清單，再將「今日待辦工作」清清楚楚列出來，最後能容納這些待辦事項的手帳，才是最恰當的尺寸。

編列「待辦清單」最理想的時間，是在前一天下班前，不過也可以在每天早上一進辦公室時進行。著手工作之前，將各位今日待辦事項的「工作清單」記在手帳上，並加上勾選方塊。記在周計畫表當天欄位內的數量，就是實際的工作量，不過字體較大或是待辦清單較多的人，也可以使用小筆記本來做筆記。

加上「兩個時間」，工作不再拖到第二天

接下來，教大家如何將記在「待辦清單」中的工作，今日事今日畢的秘訣。

❶ 利用「五分鐘原則」，完成棘手的待辦清單

工作當中，一定會出現幾項棘手的工作項目。此時希望各位可以利用「五分鐘原則」加以完成。做法很簡單，就是將待辦清單在「五分鐘內」完成。

或許各位會質疑，只有五分鐘怎麼夠用？其實順利的話，可以繼續執行這項作業，或者在五分鐘過後，改做其他工作。雖說只有短短五分鐘，畢竟是經手過的作業，因此繼續往下做時，抗拒或棘手的感覺將比一開始減輕許多。

❷ 將「要花多久時間」與「截止的時間」列出來

「要做的事情太多，無法結尾。」在這種情形下，列清單時可將下述三點追加上去：

＊盡可能將內容細分化

寫出每一步驟所需的時間，並區分截止日期。

2014.12.4

今日待辦清單

- □企畫書（今天15:00之前）
- □打開Word（5分鐘）
- □檢討之前的企畫書（20分鐘）
- □篩選改善要點（10分鐘）
- □編排格式（10分鐘）

（完成草稿）

- □接受主管審核

- □重新修改（明天過後完成即可）

- □製作周五開會討論用資料（周四傍晚前完成）

＊試著將待辦清單詳細地記在小筆記本上，並寫出分別所需的時間。

＊只須寫出真正的期限日，就能整理出當天必須完成的待辦清單。

＊需要花費時間

＊真正的截止時間

比方說，單單寫上「企畫書」，這種方式不夠完整，必須更仔細地寫出需要準備什麼具體內容，才算得上是完整的「待辦清單」。

＊打開Word（五分鐘）

＊檢討之前的企畫書（二十五分鐘）

必須像以上範例，寫出詳細的內容，以及實際上需花費的時間。

這樣一來，就能將一項待辦清單中必須分割的時間段落完全「可視化」，進而瞭解一整天下來，可完成多少件待辦清單。

許多編列出「待辦清單」後，卻無法在當天完成工作的人，大多只是將待辦清單列出來，而未掌握「完成待辦清單所需時間」。若能將「待辦清單」的版本升級，加上「所需時間」的話，應該就能每天順利完成待辦清單了。

當然其中也會出現無法於一天內完成，而需花費數日執行的待辦清單。此時請於待辦清單後方，寫上「真正的截止時間」。

・製作開會資料（周四傍晚為止）

具體寫出截止的時間，就能清楚知道這件事必須現在立刻進行，或者其實還有一點時間可以慢慢進行。如此一來，就能簡單列出優先順序。急迫的待辦清單優先完成，尚有時間的待辦清單，可以挪到改天再進行，由自己安排適當的時間表即可。

寫上截止日期，就能編列出「真正的待辦清單」，提升工作效率，也能減少需要經常加班的情形。

無論是實際上工作真的很多時，或是心理上感覺負擔很大時，都要好好重視編列「待辦清單」的時機點。**「待辦清單」可指引各位分辨工作的優先順序**，也是一個能在心理層面支持自己的強力小幫手！

手帳達人才知道的「夢想成真」筆記術

「談重要生意前，壓力會很大。」

「開始簡報或談生意前，總是會很緊張。」

像這種因為緊張而產生壓力的煩惱，也可以透過手帳來解決。或許你覺得不可思議，不過只要事先「預言成功的結果」，就真的能夠實現。

預言好的結果，寫下來就能成真

讓未來如願實現的筆記術，便稱作「一周內未來宣言」。所謂的「一周內未來宣言」，就是使用周計畫表上方欄位，如下頁圖示，將「希望這天能夢想成真」的心情，事先用綠筆於當天欄位上做筆記即可。

先預言好結果，打造順利的好感覺。

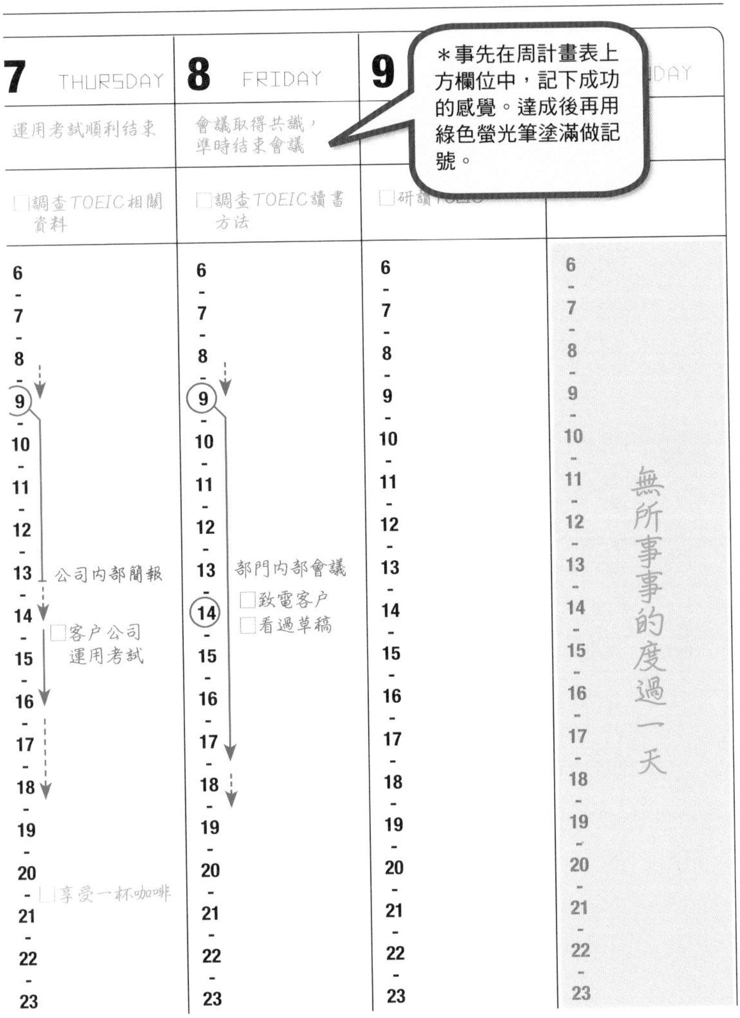
7 THURSDAY
運用考試順利結束
□調查TOEIC相關資料
公司內部簡報
□客戶公司運用考試
□享受一杯咖啡
8 FRIDAY
會議取得共識，準時結束會議
□調查TOEIC讀書方法
部門內部會議
□致電客戶
□看過草稿
9
□研讀TOEIC
DAY
無所事事的度過一天
＊事先在周計畫表上方欄位中，記下成功的感覺。達成後再用綠色螢光筆塗滿做記號。

舉例來說：

「簡報順利完成。」

「生意順利談成。」

像這樣將「成功的感覺」用文字表達出來，記在手帳上。或許有人會質疑，只需要做筆記就行了？其實透過文字「書寫」出來的行為，就能形成相當重要的「意念」。

藉由寫出「實現夢想的自己」，也就能在不知不覺間解除壓力與緊張，最後更能使自己在當天放鬆，面對所有重要場面。

因此建議大家，在周末的手帳時間，依照一周內每天的預定行程，將「一周內未來宣言」寫上去，不方便每天做筆記時，可以只在想順利完成的重要簡報，或是談生意時心裡感到不安的這幾天做筆記即可。

思考一下自己夢想的未來，再用文字表達出來，文字就能發揮它的磁場效應，你一定要來體驗「做筆記，就能實現夢想」的真實感覺。

與其說「不能失敗」，不如說「一定、可以成功」

「一周內未來宣言」有下述幾點做筆記的秘訣：

❶ 使用正面詞句（避免使用負面詞句）

還不習慣的人，很容易寫出「不要失敗」、「不要搞錯」這類詞句，所以請各位**避免使用否定形**。詞句的力量強大到超乎想像，使用類似的負面詞句，恐怕將會導致「失敗」、「出錯」這些不希望發生的情形。

平常多用正面詞句，也能將心情或想法導向正面，所以請將手帳當作優質的正向思考教材，好好活用一下。

❷ 以肯定句、過去式做筆記

書寫「一周內未來宣言」時，還有個更高階的技巧，就是將「『談妥』生意」寫成可能形的「生意『可以談妥』」，或是寫成完成式的「生意『談妥了』」，這樣更能提高成功率。

或許有人會認為，這件事明明還沒完成呀？其實這也是利用詞句來影響心情的筆記方式。因為「談妥」這種正面又肯定的用詞，容易在不知不覺間造成「必須談妥」的壓力。當人一直想著必須完成某事時，就會開始排斥去做，這種矛盾的心情，想信每個人都曾有過。

不過只要將語尾寫成「可以〇〇、能夠〇〇」的可能形，就能激發出「好像可以談妥」的感覺。

完成式的效果，可以讓夢想的未來掌握在自己手中的喜悅更加鮮明。只要能事先描繪出光明的未來圖像，就能解除壓力，冷靜地面對所有場合。**千萬別想著談生意時「不想失敗」，而要想像談生意時「可以成功」**，好好運用可能形與完成式的正向力量。當願望實現後，再用綠色螢光筆做記號，好好享受一下成功的感覺。

值得開心、幸運的事，
為平淡的生活帶來樂趣。

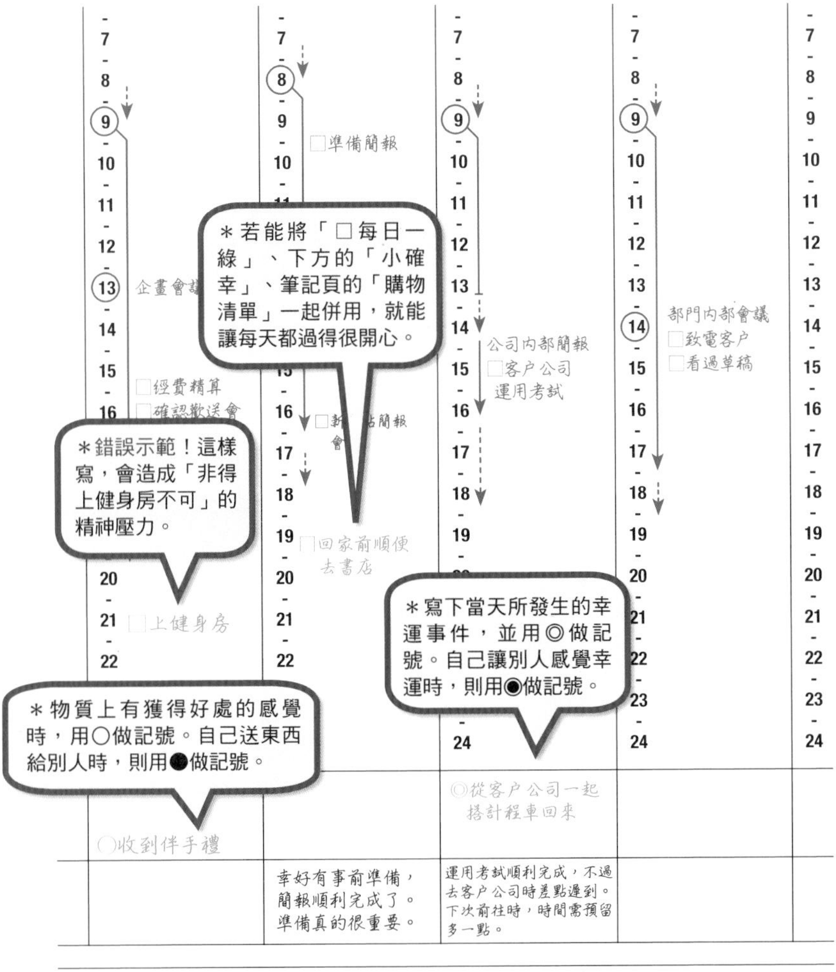

除了公事，也要記下放鬆心情的小確幸

每天忙得團團轉，一點放鬆的時間都沒有……如果各位是這種大忙人，不如好好利用手帳，試試看下述幾點建議：

從規律的生活中，找出簡單的快樂

❶ 每天讓自己幸福一次的「☐每日一綠」

「☐每日一綠」，能為各位帶來每天的「幸福時刻」。工作忙碌時，體力消耗過多時，更應該提醒自己執行「☐每日一綠」。這種方式已經介紹過好幾次了，就是利用綠筆，將自己的樂趣寫出來即可。

「☐每日一綠」的秘訣（p49提過），就是找出「**花小錢就能完成**」、「**可單獨完成**」的事情。大多數的人在日常生活中），立刻會聯想到的，應該就是「不買發泡酒，改買啤酒來喝」、「享用已經入味的隔夜咖哩」等等，與「食物」有關的快樂。

因為人類最原始的欲望就是「口腹之欲」，所以當提到立即可行的樂趣時，自然就會想到「食物」。只是，如果你的「□每日一綠」全都與「食物」有關的話，可能會在金錢或身材上都造成不小壓力。

與食物有關的「□每日一綠」，只適合剛開始使用手帳的人，並以最初一個月為基準。只要留意一下「**讓自己內心期待雀躍的那一瞬間，是什麼時候**」，就會發現其實身邊充斥著許多「不用花錢，也能開心享樂的事情」。

「瀏覽心儀藝人的部落格」、「查詢明年出國旅行地點」、「利用通勤時間閱讀想看的書」……如果是抽菸人士，也可以寫下「悠哉地抽一根菸」作為「□每日一綠」，或許還能發現許多過去不曾注意到，卻很適合作為「□每日一綠」的事情。好好執行「□每日一綠」，你就會愈來愈瞭解如何讓自己快樂，就能讓每天的滿足感大大提升。

❷ 光看就讓人期待不已的「購物清單」

「購物清單」可以避免浪費行為與壓力型購物，也可以當作一種工具，讓每天都能過得很開心。每當認真思考想要購買什麼物品時，是不是覺得很興奮？只要心理想著，下個月就去買，所以要努力工作，這樣一來，每天工作時就會士氣高昂。

而且只要列出這份清單，還能增加許多意想不到的機會，例如在大拍賣時用意想不到的便宜價格入手，或是別人正好送自己想要的東西。**與其天馬行空「幻想著」，不如將願望具體描繪出來**，這種喜悅感將會不同以往。「列出購物清單」可讓每天生活更加開心，所以將「列出購物清單」當作前文介紹的「□每日一綠」，也是個不錯的方法。

❸ 告別衰運，記下你覺得幸運的小插曲

「總是很倒霉」、「老是不走運」如果你常常這麼想的話，最好趕快跟這種想法說再見。因為「衰運」很容易在潛意識下附身，這種想法很要不得。只要一有這種想法，就會在不知不覺間做出吃虧的選擇，衰事只會一直降臨在自己身上，導致你總是無法事事如願。想要簡單消除這種沒必要的想法，**就要靠「好康」、「幸運禮物」筆記術**。「好康」和「幸運」的事情與遭遇，可以記在周計畫表下方欄位。

別人給的，在物質上有獲得好處的感覺，都可算是「好康」。例如：

「○隔壁同事去出差，帶了當地點心回來送我。」

「○和上司去喝酒，結果上司請客。」

諸如此類，用綠筆做筆記，並在開頭處用○做記號。相反地，也會發生自己「送給」某人禮物的情形。例如：

「●請部屬吃午餐。」

「●公司客戶結婚送禮。」

當自己有所付出時，就將圓圈塗滿顏色。

「幸運」，則是遇到好事或開心的事情，所以畫上雙圓圈做記號，當然也須用綠筆做筆記。例如：

「◎雖然下雨了，幸好有帶傘。」

「◎談完生意準備回公司時，正巧對方有時間，所以送我到車站。」

另外，自己在偶然機會下使對方感到開心時，可畫上雙圓圈，並將小圓圈塗黑，如下述所示：

「◉誇讚部屬資料做得不錯，結果部屬很開心。」

「◉幫助迷路的人。」

做筆記的同時，也能瞭解自己一天當中，能夠擁有多少「好康」或「幸運」的感覺。即使覺得自己「總是很衰」、「老是不走運」的人，只要發生任何好事與收穫時，立刻記在手帳上，就能發現自己每天都過著滿足且幸福洋溢的生活。

將生活中偶然發生的好事紀錄下來，讓自己感覺到「我的運氣還不差嘛！」，自然就能養成樂觀看待一切的習慣。透過手帳，也能將每天的幸運累積起來，利用手帳療癒自己的心靈。

只要發現自己每天都能得到許多幸福，才會有餘力將「好康」或「幸運」的感覺分享給周遭的人，成為幸運循環的源頭。

記下成功的原因，找出你的必勝模式

松下幸之助有段知名的軼事，聽說他在面試時會問對方：「你的運氣好不好？」而且只會錄取回答「我運氣好」的人。其實工作能力強的上班族，都是「運氣很好」的人。**這裡說的運氣，並不是很走運的意思，而是懂得掌握如何招來好運的方式。**

找出為自己帶來幸運的潛規則，好事就會一直來

招來好運，有模式可循，我們可以用以下幾種方式，善用你的手帳，讓自己成為一個「會招來好運的人」。

❶ 每天找出一件好事，記下來

只要能將每天發生幸運的好事記下來，就能發現，日常生活中自己常常「遇見幸

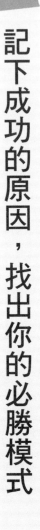

運的事」。

簡報被稱讚、企畫通過、想找的資料在意想不到的地方找到了。或許只是些微不足道的小事，但也是難能可貴的「好運」。無論再小的事情也好，每天記下一件好事，持續一個月，你就能成為非常好運的人。

❷ 小反省，找出你的專屬勝利方程式

如果各位想成為招來好運的人，P156介紹過的「小反省」，也能成為改變自己一項很重要的武器。

將「行動、結果、反省」這三項內容記下來時，**最容易陷入的迷思，就是將「反省」內容負面化。**例如在描述出錯的過程中，總是很容易將「反省」的內容寫成「因為自己無能所以做不好」、「運氣不好」等等，這些負面描述手法，都是還未養成習慣前容易犯下的錯誤。

不過此時的重點在於「反省」，犯錯時，就要找出犯錯的原因。如果是工作不順利，就該思考如何改善使工作順利完成。所以這時候各位應該去思考的是，「**下次怎麼做才會成功**」。

記下好事和簡單小反省，了解你的勝利方程式。

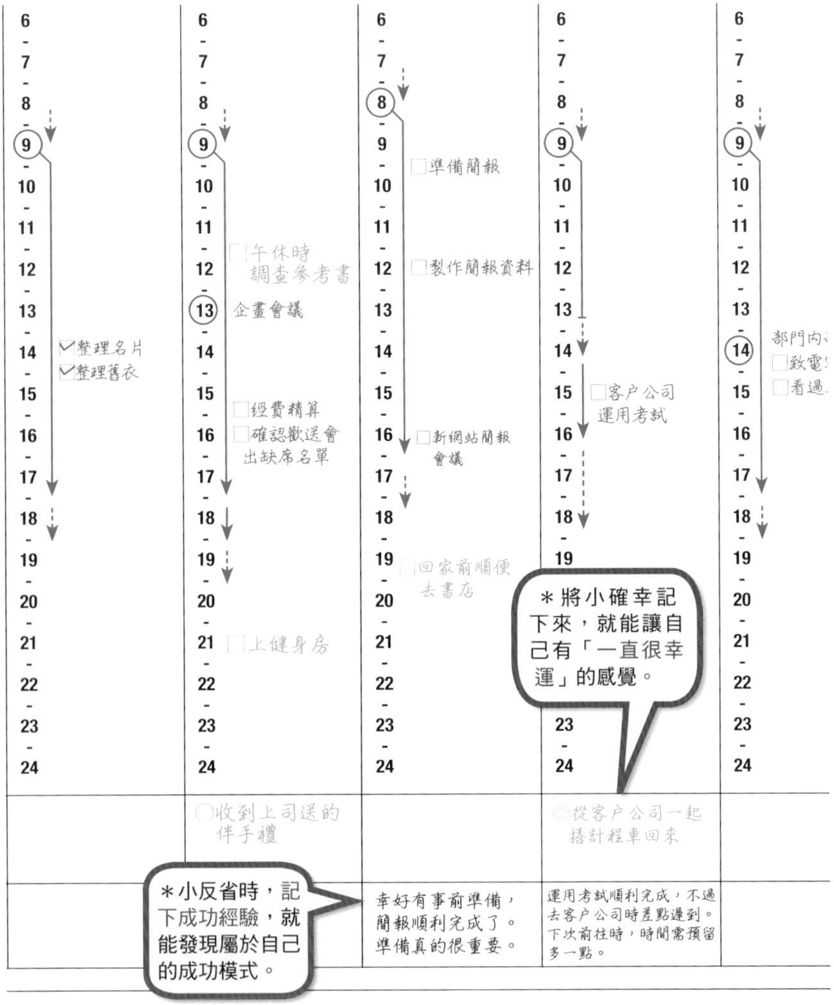
整理名片
整理舊衣
午休時 調查參考書
企畫會議
經費精算
確認歡送會出缺席名單
上健身房
準備簡報
製作簡報資料
新網站簡報會議
回家前順便去書店
客戶公司運用考試
部門內
致電
看過
＊將小確幸記下來，就能讓自己有「一直很幸運」的感覺。
收到上司送的伴手禮
從客戶公司一起搭計程車回來
＊小反省時，記下成功經驗，就能發現屬於自己的成功模式。
幸好有事前準備，簡報順利完成了。準備真的很重要。
運用考試順利完成，不過去客戶公司時差點遲到。下次前往時，時間需預留多一點。

另外，並不只有在犯錯時，才能將「小反省」寫下來。工作上有什麼順利的事或是開心的事，也都能記下來。

例如：

*去A公司談生意。

*生意談成了。

*成功原因在於介紹商品時加入了圖解。

……

可以像這樣，將當天順利的情況以及要因仔細記下來。

筆記做久了，就能找出屬於自己的**勝利模式**。只要能瞭解自己的勝利模式，就能輕而易舉成為一直招來好運的人。

「一寫就成真」的手帳術，要持續一整年

有時會突然發現，一整天下來什麼都沒做過就結束了。每天忙個不停，這樣的日子是不是會感到不安，甚至引發焦慮呢？其實焦慮的原因，是因為「你活得不像自己」。

「真正的自己」，絕對不是「外在」表現出來的那樣。你得花點時間，**瞭解自己的優缺點，懷抱著目標以及夢想**，才能在實現「更好的自己」時，瞭解真正的自己。目標與夢想無需特別設定，因為目標與夢想會隨著年齡或環境而有所變化。**不能設定「絕對要怎樣」，只要「暫時」有「這種感覺」即可。**為了讓自己更進一步，也為了讓你活得更自我，不妨思考一下，你的目標與夢想是什麼？

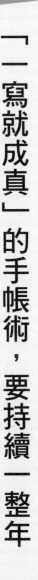

列出八個大目標，搭配周計畫表一步步實現

不管想跨出多小一步，都必須先設定目標。如果你對此感到焦慮，代表你根本不清楚自己想要什麼。如果只是隨便想著「要累積資歷」、「要出人頭地」，這樣根本無法付諸行動。目標與夢想不必要十分偉大或令人讚嘆，**無論多渺小的夢想，都能成為目標。**

編列「年度清單」，就能使今年的目標或夢想一目瞭然；而未來想成為什麼樣子，將這樣的人生目標編列出來，就是所謂的「人生清單上」。請從P60開始參考，將這兩項清單記在手帳筆記頁上，就能讓你的目標或夢想具體實現！

編列「年度清單」與「人生清單」時，必須將「健康」、「穿著打扮（外表）」等八大項目記上去，才能具體感受到圓滿的幸福感。只要能將這八個目標寫上去，自然就能了解你的目標在哪裡。

將這兩份清單編列出來後，接下來**利用周計畫表「逐夢行動」欄位**（參考P52），**將「架構」描繪出來**，每天執行才能實現目標。先持續進行一個月，就能實際感覺到

寫下年度目標，
讓每天都過得好充實。

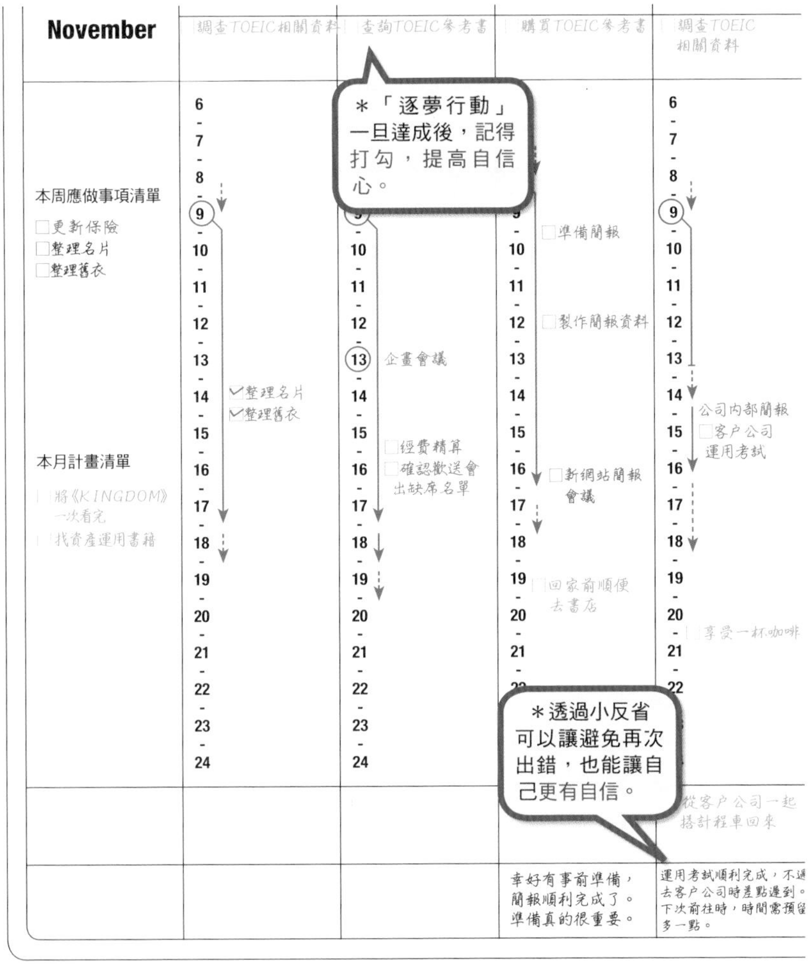

November
調查TOEIC相關資料
查詢TOEIC參考書
購買TOEIC參考書
調查TOEIC相關資料
＊「逐夢行動」一旦達成後，記得打勾，提高自信心。
本周應做事項清單
更新保險
整理名片
整理舊衣
本月計畫清單
將《KINGDOM》一次看完
找資產運用書籍
整理名片
整理舊衣
企畫會議
經費精算
確認歡送會出缺席名單
準備簡報
製作簡報資料
新網站簡報會議
回家前順便去書店
公司內部簡報
客户公司運用考試
享受一杯咖啡
＊透過小反省可以讓避免再次出錯，也能讓自己更有自信。
從客户公司一起搭計程車回來
幸好有事前準備，簡報順利完成了。準備真的很重要。
運用考試順利完成，不過去客户公司時差點遲到。下次前往時，時間需預留多一點。

自己的變化，不再出現無所適從的焦慮感。

手帳記錄，要持續一整年

只要能確實且持續記錄手帳一整年，就能留下實質的收穫。

除了前頁所述的「年度清單」與「人生清單」，最好還能列出「五十大目標」。如果能夠確實地「利用一整年實現目標」，並持之以恆，一定能讓自己自信心大增。

另外，再試著在一年內依循筆記術原則，例如「一周內未來宣言」或「口每日一綠」等手法，**等到一年過後，這本手帳將滿載著各位自發向上度過每一天的記錄。**

時間是無形的，漫不經心度過一年，並不會留下任何痕跡，不過只要善用手帳，確實朝著目標與夢想邁進，就能藉由這本手帳，幫助自己堅定地實現目標，並且帶來自信。

想要過得不錯的一年，就為自己找出每月目標

長大成人後，會不會覺得時間過得特別快？小時候感覺一天、一周、一個月好長好長，但是最近會不會常常覺得「一年一下子就過去了」、「突然發現已經過了一個月」。

這都是因為每天生活「**沒有主題**」，才會變成這樣。小時候對於身邊發生的事情全都感覺很新鮮，長大成人後日常生活卻變得一成不變，每一天都乏味至極。所以，才會感覺時間一下子就溜走了。

「這個月又是一下子就過了，什麼事情都沒完成……」如果各位不想再像這樣後悔，建議大家每個月都要過得「有主題」。

而且在手帳筆記法中，「可數字化的事物＝目標」、「不可數字化的事物＝主題」。例如，「存款〇萬圓」就是目標，而「珍惜金錢」則為主題。

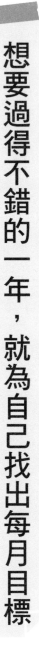

先在小筆記本其中一頁，寫下「每月主題（目標）」作為標題，再分別列出一月至十二月的「本月主題（目標）」。

可以是與工作相關具體的主題，例如「業績第一」，或是抽象的主題，例如「商品熱賣」，甚至是「不要生病，維持身體健康」，這類與私生活相關的主題也無妨。

你的每月主題，幫自己遠離問題

本章節的重點在於編列出「十二個月份的計畫」，所以「暫定」的計畫即可，將十二個月的主題全部列出來。**你可以先預測「每年某個月份容易出現的狀況」**，例如換季時容易感冒，旺季時過於忙碌容易生病……再寫下因應對策。將事先預設的「主題」寫下來，就能避免問題產生，成為最佳防衛武器。

例如過完年後的三月，或是畢業季後的九月，有新人進公司或部門異動的時期，可寫下「人際關係須圓滑一點」來提醒自己。也可以縱觀十二個月份，用不同角度來

訂出每月主題，完成年度目標。

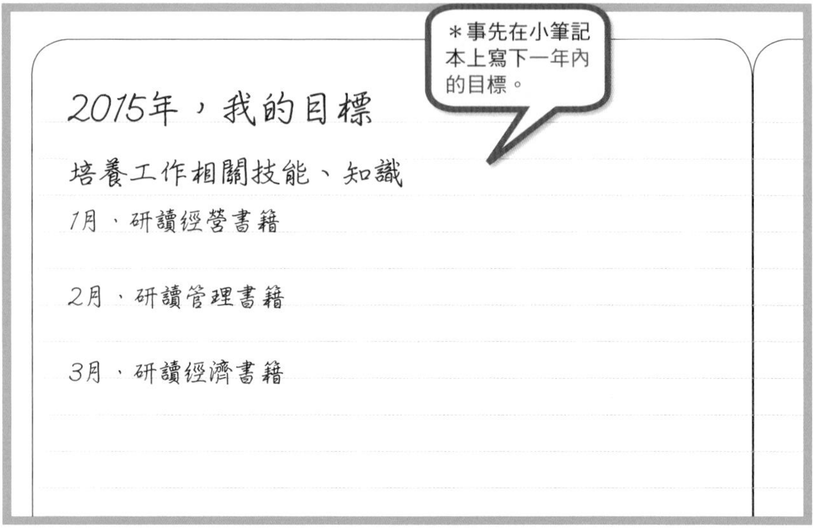

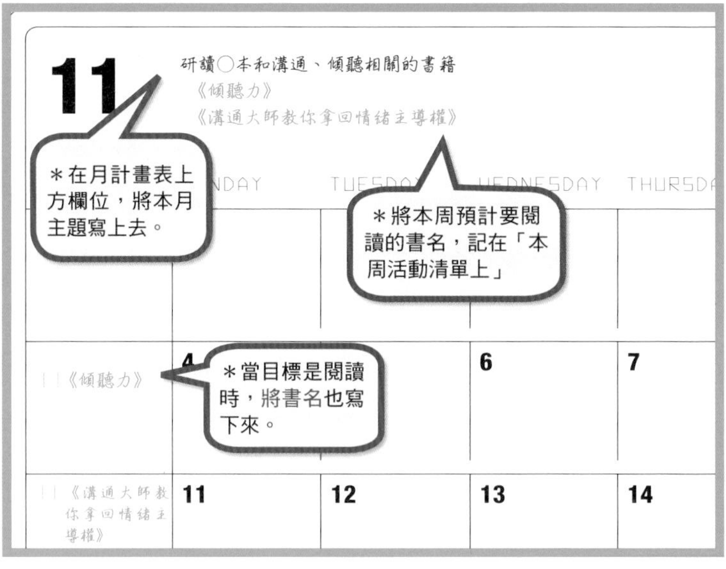

發現更多細節。

將「年度清單」與月計畫表或周計畫表連結起來，使主題更加具體化，並花一年時間予以執行，更能提高達成率。

例如，在「年度清單」的「工作」欄中，寫下「培養更多與工作有關的技能、知識」。再將每月主題設定為「閱讀工作相關書籍」，例如「一月．閱讀經營書籍、二月．閱讀管理書籍」，具體訂出每月須執行的項目，並在月計畫表上方，寫下十二個月份的主題。不想讓其他人看見的話，也可以記在周計畫表月初的地方。

例如「減肥◯公斤」這類與健康有關的主題或目標，**千萬別一開始就過於貪心而訂下嚴苛的數字**，這點相當重要。設定的數字必須真的可以達成，才能體會達成目標的喜悅，這也是此手法的主要目的。並在當月最後一天，反省本月主題是否達成，最後在主題下方寫下幾句感想，才能在一年結束後，順利完成許多目標。

一本好手帳，幫你克服人生的卡關時刻

在你身邊，是不是有人總是能順利克服瓶頸？

出社會後，每一天的生活很難完全避開各種問題或突發事件。這時候，最希望能以恰當的方式順利因應。其實只要善用手帳，就能讓你夢想成真。

你只須寫下三行文字，進行「**小反省**」，並預先寫下「**一周內未來宣言**」，光是做這兩個動作，就能讓夢想成真。

舉例來說，某日突然發生意想不到的困難時，雖然會讓人心情沈重，不過請將當天的突發事件以小反省的方式記下來，再寫下「省思」，就能讓心情平復。因為已經記下「反省」，當下次再發生相同問題時，就能避免重蹈覆轍，就知道該如何處理，也能在潛意識中進行模擬。「小反省」時夠用心，面對突發狀況時就能得心應手。

另外，針對可能發生突發事件的工作，也可利用「一周內未來宣言」的手法，事先做好準備。像是擔心「下周會議可能會一團亂……」時，可先寫下「會議順利結束」，加以文字化後，就能刻意加強「會議能順利進行的感覺」。

人類的意志十分奇妙，只要刻意地想像，就能讓行動朝著想像的方向進行。也可以透過模擬，為突發事件做好心理準備，使精神面更加堅定。

「一周內未來宣言」很容易被誤以為是種精神口號，不過，你可以實際感受看看這種想像的效果。只要能不斷練習，不管面對問題，都能用輕鬆的態度解決。

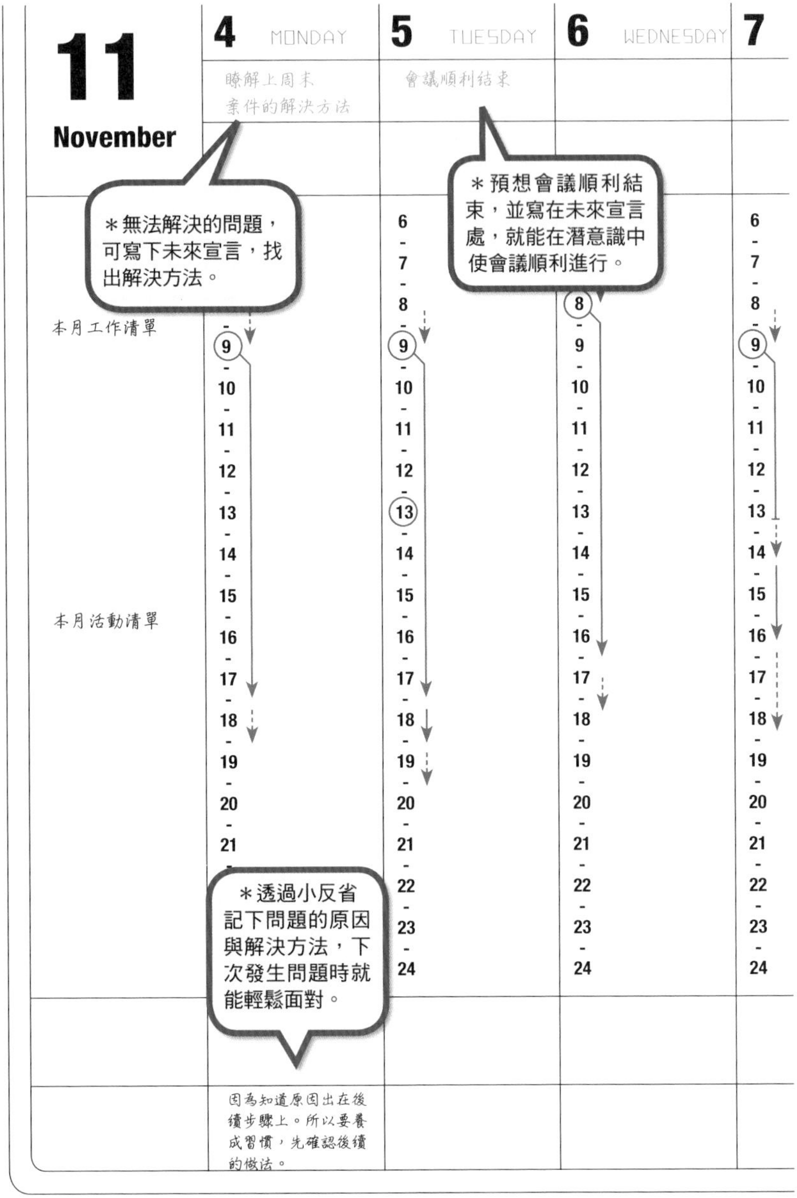
11
November
4 MONDAY
5 TUESDAY
6 WEDNESDAY
7
瞭解上周末
案件的解決方法
會議順利結束
＊無法解決的問題，可寫下未來宣言，找出解決方法。
＊預想會議順利結束，並寫在未來宣言處，就能在潛意識中使會議順利進行。
本月工作清單
本月活動清單
＊透過小反省記下問題的原因與解決方法，下次發生問題時就能輕鬆面對。
因為知道原因出在後續步驟上。所以要養成習慣，先確認後續的做法。

第5章

手帳上的行程，也可以解決人際關係

手帳，也是解決人際關係的工具

到目前為止，已經介紹過各位如何使用手帳，讓「自己」改頭換面。在最後這個章節，將針對與「他人」有關的問題，教你如何透過手帳加以解決。

感到挫折的原因和人，具體寫出來

手帳，也能成為**解決人際關係**的武器，每個人在工作或職場上，總是會遇到一些難溝通公客戶或難相處的同事，其實與這些人之間的關係，也能透過手帳加以改善。

將小筆記本準備好，把「為什麼覺得對方很難搞」的相關事情記下來。盡可能**具體的描述**，這點相當重要。

「沒有回報，所以才會出現問題。」

「生氣時會口出惡語。」

「說話尖酸刻薄。」

將感受實際寫下來後，你的心情會覺得平靜不少。將心中的不滿寫出來，化成文字後，心裡的鬱悶也能獲得抒發，使人冷靜下來。不過，此時還必須再加上如何處理的方法才行。

比方說，「部屬不回報」；既然如此，

「要如何讓部屬回報？」→「主動提醒他回報。」

在待辦清單上，將「向○○確認×案件」記上去。

只要瞭解那個人容易出問題的**原因**，就能善用手帳加以追蹤，**事先預防任何出錯的情形**。

把不滿的情緒化成文字，就是解決的第一步。

＊只要將內心的抱怨如實記在筆記本上，就能消除人際關係方面的壓力。

沒跟我回報，才會發生問題

↓

如何請對方回報？

↓

經常聯繫，讓他可以定期向自己回報

※每隔兩天與對方聯繫，確認工作進度

是對方的問題，還是自己需要多做準備？

持之以恆之後，就能減少部屬或後進出錯的情形，與對方的關係自然也能產生變化，甚至能當作「培育人材的一種練習」。

如果遇到的是「說話尖酸刻薄（損人）」的人，可將使自己感到受傷的言辭全部寫下來，從中看出端倪。

如果原因出在自己疏失的話，可善用手帳預防出錯。如果並非如此時，或許這句「傷害」自己的言辭，對自己而言特別敏感，或是會造成自卑的辭句。說不定「工作上的困境」，將成為讓自己成長的契機。

不過要是真的合不來，或是總是受傷害時，**保持距離**也是一種防衛的對策。

畢竟是工作上的關係，所以不需要「感情太好」，也可以乾脆選擇保持最低限度的來往即可。職場關係很難簡單的說明或釐清，更應該利用手帳好好整理一番。

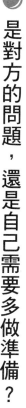

利用手帳，初次見面也能聊不停

出社會後，每天都會有很多機會「認識新朋友」，例如新專案的伙伴、客戶、拜訪其他公司等等。

「剛被分派到營業部門來，不過還沒辦法好好為商品做簡報。」

「『閒聊』的時間感到十分痛苦。」

「拜訪客戶時總是很緊張。」

擁有這些煩惱的人，更應該善用手帳。比方說，要前去談一筆新生意，但你煩惱著可能無法與客戶好好談話。

這時候，你應該先將「與〇公司的A先生談妥生意」，記在月計畫表的「本月活動清單」上，當實際碰面的日期快到時，再利用周計畫表的待辦清單，**預留時間以確實掌握當天談話的內容，以及具體調查對方背景**。

倘若公司裡有前輩會一同前往〇公司談生意的話，也可以向前輩詢問一下A先生的**背景**，盡可能的獲得他的資訊，例如「A先生對高爾夫很有興趣」、「A先生好像有一個兒子」等等。

事先準備可能聊到的話題，不怕初次見面的冷場

如果是第一次來往的新客戶，沒有人可以打聽任何資訊時，不妨針對「〇公司」本身進行調查。例如何時創業、新商品為何、公司在哪裡等等，這樣就能產生一些話題，例如「已經看過前陣子推出的新產品了，真的很有趣呢！」「聽說附近開了間〇〇店，我很感興趣！」

再把這些「適合聊天」的話題，記在周計畫表上預定會面的那一天即可。不知道聊些什麼時，只要瞄一下手帳，就能馬上想到話題，十分方便。

想要讓自己更安心一點的話，也可以利用「一周內未來宣言」手法，事先將「與

利用手帳，為你打造超棒的「第一印象」。

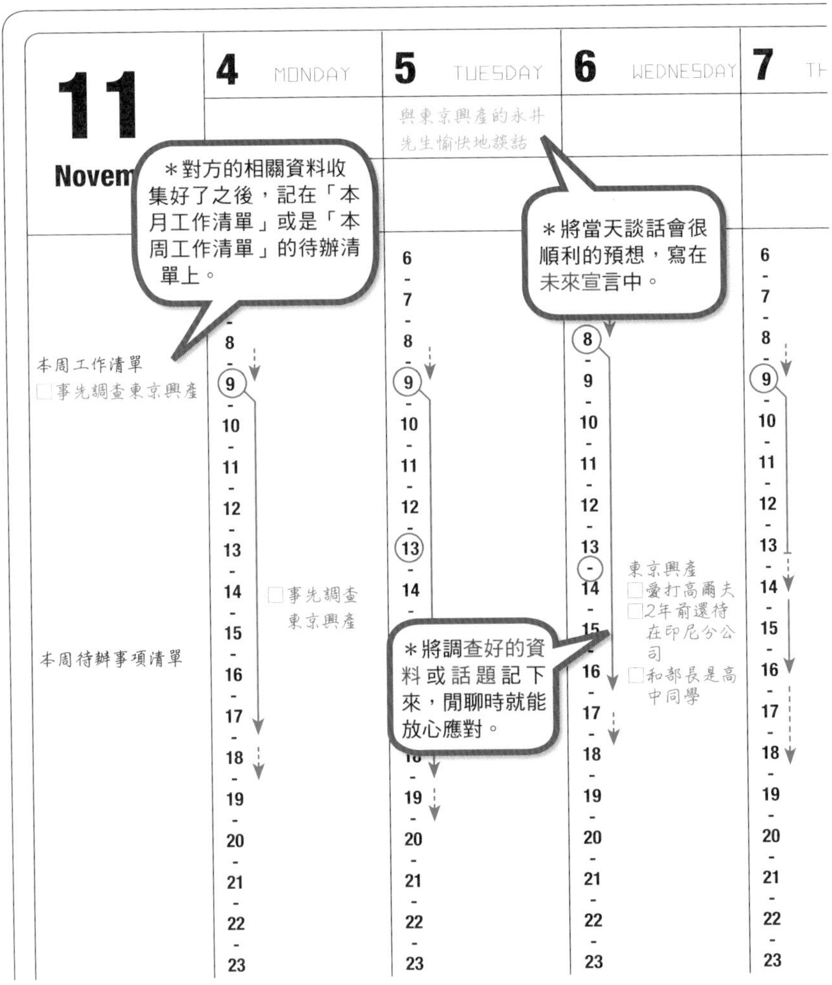
11
Novem
4 MONDAY
5 TUESDAY
6 WEDNESDAY
7 TH
與東京興產的永井先生愉快地談話
＊對方的相關資料收集好了之後，記在「本月工作清單」或是「本周工作清單」的待辦清單上。
＊將當天談話會很順利的預想，寫在未來宣言中。
本周工作清單
事先調查東京興產
事先調查東京興產
東京興產
愛打高爾夫
2年前還待在印尼分公司
和部長是高中同學
＊將調查好的資料或話題記下來，閒聊時就能放心應對。
本周待辦事項清單

○公司A先生聊得很開心，工作順利談妥」寫下來，幫助自己消除不安的情緒。不然老是杞人憂天，煩惱著幾天後的事情，只會影響手頭上工作的進行。不如善用手帳，提早消除內心的不安。

如同「因果法則」所述，結果是原因所造成的。所以將工作順利完成的未來結果事先寫在手帳上，就能成為希望的種子，衍生出期望中的結果。

從「改變行程」的原因，看出誰最難搞

在各位周遭的人際關係當中，有沒有「一接觸就會令人鬱卒」的人？即使是因為工作上的關係必須來往的客戶，最近卻很不想和他見面；雖然是好幾年的老朋友了，但就是不想聯絡。

從取消的行程上，發現誰可以列入「拒絕往來戶」

人際關係，其實是很容易產生變化的。原以為好相處的人，來往之後才發現自己不想與對方保持聯絡，不過對方卻總是很積極地聯繫，所以邀約時便不好意思回絕，最重要的是，對方也不是什麼「壞人」……相信各位都曾有過類似的經驗。

像這種「不是很想聯絡」的對象，只要翻翻手帳就能知道：「他是不是個好咖」。「下周的開會時間想要改一下。」

「原本周末約好要一起喝酒，結果突然有工作要忙，所以得取消。」當對方這麼跟自己聯絡時，各位一定會先翻開手帳，更改月計畫表的預定行程吧？不過先等一下，更改預定行程時，**千萬不可以用修正帶塗掉**。

或許你會說：「這樣行程表不會變得亂七八糟嗎？」就是為了避免這種情形，所以請依照以下所說的「刪除方式」進行修改。

如果是因為自己的關係而變更的預定行程，請畫上雙刪除線；若因為對方的關係而變更的預定行程，則打叉取消。

依照這種方式做筆記，一個月過後，只要看一眼月計畫表，就能馬上瞭解行程表有什麼變化，**也能藉由這些變化，立刻知道是因為自己的關係，還是因為對方的關係。**說不定，你平常就感到反感的人，就是經常變更預定行程的人。那麼這個人對你而言，就不是個想繼續和他保持聯繫的好咖。

即使若無其事依照對方要求將預定行程取消，但在你的潛意識中，仍會對他留下不佳的印象。只要依照上述方式，就能看出誰是難相處的人，既然如此，不妨與對方保持一點距離吧！

更改行程別塗掉，用打叉和刪除線劃掉。

本月工作清單
本月活動清單
□聯絡星野工程師
＊因為自己的關係而變更的預定行程，要畫上雙刪除線，因為對方的關係而變更的預定行程則打叉取消，這樣就能看出與對方之間的關連性。
＊保持距離的對象或客戶，每隔一陣子也要聯絡看看。可記在月計畫表上，當作備忘錄。
TUESDAY
FRIDAY
SUNDAY
1
3
念TOEIC的內容
5
10:30
東亞工業簡報
□交企畫書
6
17：00拜訪日本產業
7
□致電
日本產業確認
8
14:00
全員開會
9
10:00
五人制足球
10
12
13
19:00
與中川先生餐敘
14
12:00
與田中午餐
19:00看牙醫
15
部長出差
14:00
部門內部會議
□精算經費
16
13:00
討論展覽會
17
19
20
19:00
與中川先生餐敘
21
13：15健康檢查
22
14：00
部門內部會議
23
10:00
五人制足球
18:00 聚餐
24
26
14:00
討論展覽會業者
27
28
出差
15:00拜訪金澤
零件
29
30

把保持聯絡當成預定行程，減輕人際關係的壓力

「可是完全不和朋友聯絡的話，好像說不過去……」

如果你有這種想法，不妨將不聯絡的現在視為冷靜期，即使對方主動聯絡，也不用勉強自己答應任何邀約。保持一點距離，**大約事隔一年後再聯絡看看**。保持距離，也能保護自己。

如果對方是工作上認識的，無法隔這麼久不接觸，可以事先將「差不多要與A先生聯絡」記在月計畫表的「本月活動清單」上提醒自己。

有時也會遇到對方地位重要，沒辦法不來往的情形，不過自己內心已經認定對方不好相處了，至少精神上就會變得輕鬆一些。只要能**看清對方與自己的關係**，在心裡保持一點距離，就能在心情不受影響下，冷靜地與對方來往。

手帳的四色原則，幫你在行程撞期時做抉擇

人際關係愈廣，就愈容易發生邀約撞期的煩惱。特別是年底聖誕節或尾牙季一到，撞期的情形一定不少。像這種時候，各位會怎麼做呢？

當兩邊想去的感覺各佔一半時，例如：

「對工作升遷有幫助才報名的座談會，強碰上因工作認識的朋友所邀請的派對。」

「大學友人聚會，強碰上和公司前輩、同事一起打高爾夫的時間。」

像這種時候，到底該去哪一邊……很令人傷腦筋吧？

此時，請你務必以**較為期待的那一邊為優先**。也就是用顏色分類時，判斷為「**綠色**」（令人期待的事情）的那一邊。

座談會與派對，乍看之下一定是派對較令人期待，但是當這場座談會的講師是自

己崇拜已久的對象呢？而且因工作認識的朋友，感覺上好像不太合得來的時候呢？對自己而言，哪一邊會令人比較期待，其實因人而異。

私人行程都用綠筆做筆記，所以這陣子老是忙工作的人，不妨以綠色筆記的預定行程為優先，來作為判斷的基準。

堅持當守信用的人，反而造成壓力來源

其中當然也會有人認為，先敲定的行程比較重要，而以此作為優先順序。這種方式也沒錯，不過這種方式會出現一個陷阱，你可能會因此選擇自己「並沒有這麼想去」的行程。

不夠真心而機械化作決定時，乍看之下或許很輕鬆，但是總有一天心中一定會出現「其實我比較想做○○……」的不滿情緒。這樣一來就會在心中產生壓力，導致無形的煩躁感，而且影響將逐漸擴大，最終甚至可能造成身心失衡。

行程撞期時，
選擇「期待」的那一個。

SDAY
THURSDAY
FRIDAY
SATURDAY
SUNDAY
1
5
6
7
11:00～市場調查
8
11:00～市場調查
12
13
14
17:30創業座談會
18:00同學會
15
＊當預定行程撞期時，可依據「期待的感覺」作取捨。
19
21
19:00聖誕晚會
22
15:00開會
26
27
28
29

▲「同學會」用綠色，代表「比較期待」。

以自己的感覺為優先，選擇綠筆做筆記的預定行程。當邀約撞期時，回絕某一方可能會感到罪惡感，不過這時候只要在手帳裡記下「**下次以這方為優先**」，或是利用小反省，提醒自己千萬別忘記就行了。

增加內心感覺期待的機會，就能激盪出更多新發現或機緣，也能使自己內心得到療癒。一味忍耐放棄這種機會，其實是很可惜的一件事。請各位善用手帳，著手安排重視內心感覺的行程表。

專門準備「給別人看」的手帳計畫表

到目前為止，已經介紹過許多手帳的規則，但是還有一項規則尚未詳細進行解說，那就是下述二項：

❶ 無法公開的事情，不要記在月計畫表上。

❷ 私人相關事情、目標、個人感想等，須記在周計畫表上。

寫滿行程的月計畫表，就是拒絕的最佳理由

為什麼要這樣做呢？因為你的月計畫表，要「可以攤開來給別人看」，也沒關係。各位可能一頭霧水，為什麼要把自己的手帳給別人看呢？其實這個方法在經營人際關係時，有時可以成為一種絕佳的武器。

舉例來說，有個和你不太合得來的朋友提出邀約。

「下次休假一起去打高爾夫吧？」

「下周來打麻將吧？」

很想回絕，但是考量到工作上的關係，所以不好意思拒絕。遇到這種情形，其實真的很難找到一個適當理由加以回絕。

最常被人使用的一個理由，就是「不行啦，我有工作要忙……」，但是這樣對方可能會認為那只是藉口，其實自己根本不想赴約。

此時，不妨讓對方**「偷瞄一下」你的月計畫表**。只要依照本書規則做筆記的話，就會將每天上、下班時間全部記在月計畫表上。所以乍看之下，各位月計畫表上的行程排得非常滿。

這樣一來，**對方就會明白「你真的很忙」**，也就不會再要求你赴約了。

▲讓對方瞄一眼自己寫滿行程的手帳，
回絕的成功率馬上提高90%。

分享可公開的手帳行程，讓你的工作更順利

當私事記在月計畫表上時，覺得用「約會」這種明顯的字眼會感到不好意思的人，也可以用特殊符號或暗號來做筆記。為了讓自己的手帳看起來行程很滿，就算是休假日，也要用綠筆將那一天框起來。

整本手帳中，只讓月計畫表保持可公開的狀態，其實還有一個好處。那就是**在工作上需要調整行程時**，可以讓對方看一下月計畫表，再作決定，將有助於行程安排更加順利。而且和部屬討論一起外出的行程時，也可影印一份給部屬以節省時間。

或許你有強烈的先入為主觀念：「手帳是給自己看的，私人使用的物品」，不過，也可以試試看「寫給其他人看的手帳」這種大膽的用法。

能讓你成長的對象，才是「人脈」

可能會在工作上有所助益，所以想認識更多人……應該有人會持有這種想法，因而不斷參加異業交流會或派對吧？

不過這些人可能只會認識許多「朋友」，卻無法遇見「真正有幫助的人」，這是因為他們根本不太瞭解「到底想認識怎樣的人」。

認識很多人，不代表人脈廣

像這類型的人，最好列出一張「崇拜人物清單」。利用小筆記本或筆記頁，將想認識怎樣的人，全部直接寫下來，例如「未來獨立創業時可給予建議的人」、「可給予人生啟示的人」、「對〇〇業界十分熟悉的人」等等。

即使在真實生活中遇見名人的機率不大，也不需要自我設限。**只要你真的想認識對方，自然會多留意對方會出席的活動或座談會等資訊。**將自己內心的願望明確表達出來，就能加以實現。

「崇拜人物清單」與「購物清單」有異曲同工之妙，**將心中的「願望」具體以文字表達出來，**寫下來的願望、目標、夢想，就能神奇地實現。

正因為你認真看待自己的目標，身邊的人都知道你的期望，友人們也會特別為你留意相關的訊息：「我認識對○○很熟的人喔！」光是想到能不斷獲得引薦機會，就令人十分期待！

而且當自己明白想認識什麼新朋友後，就要主動出擊。只要目標夠明確，手帳也能讓「人與人之間的緣份」不斷地串連起來。

和崇拜的人見面，打造更好的自己

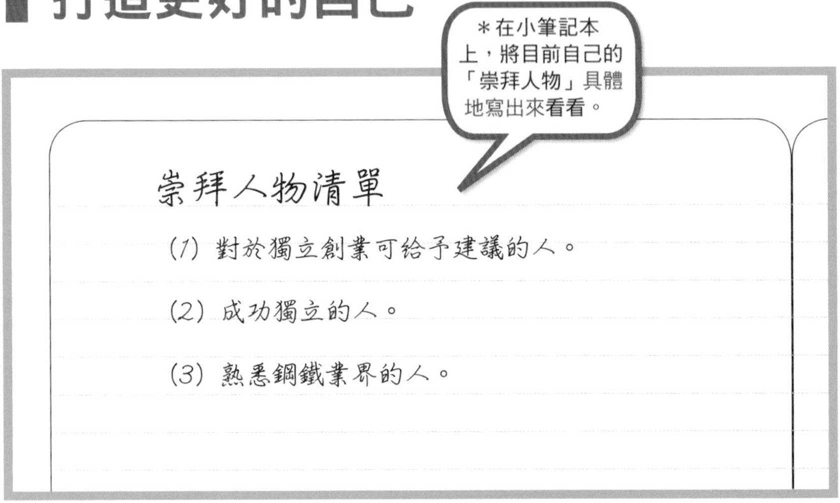
＊在小筆記本上，將目前自己的「崇拜人物」具體地寫出來看看。
崇拜人物清單
(1) 對於獨立創業可給予建議的人。
(2) 成功獨立的人。
(3) 熟悉鋼鐵業界的人。

本月工作清單
本月待辦事項清單
□參加獨立創業座談會
＊知道自己崇拜哪種人、想去哪類座談會後，就要記在「本月活動清單」加以執行。
THURSDAY
FRIDAY
1
2
□換駕照
□研讀TOEIC
7
□致電日本產業確認
8
9
10:00 五人制足球
10

善用手帳的特性，終結冗長會議

安排會議的「事前溝通」時間，讓過程更順利

工作上總是會遇到「煩悶的會議」，例如毫無意義，只希望趕快結束；或是想取得決議，卻因為閒雜人等出席，使會議無法歸納出結論。想要減少這類「煩悶的會議」，其實透過手帳就辦得到。

當會議中需要自己表達意見或發表企畫時，會議的「事前準備」其實相當重要。**可利用手帳的待辦清單，確實做好事前準備**，促使會議順利結束。

例如花時間製作容易理解的草稿，或是準備資料時善用圖片與照片。記得在手帳上安排時間，準備資料使會議順利結束。

資料準備齊全後，接下來必須向其他與會人員打聲招呼。其實這種「**事前溝通**」

相當重要，而且非做不可。記得在**周計畫表**當天的待辦清單中，將「事先通知〇〇先生會議相關事項」記下來，提醒自己做好這項事前溝通。

「後天的會議我會提出這項建議，請您幫忙促成一下。」

「我在規劃這項新企畫，打算在會議中發表。」

事先在與會人員中找出支持者，就能讓當天會議進行的情況變得不一樣。所以請善用手帳，在重要會議之前，將「事前準備」視為其中一項待辦清單。

用成功的預告，提醒自己引導會議成功進行

另外還有一個方法也能派上用場，就是「一周內未來宣言」，這個效果已在前面作過說明了，**事先將「會議順利進行」的願望寫在當天欄位上**。筆記方式如下：

「會議準時結束。」

「企畫順利通過。」

基本上在記手帳時大多以自己作為主語，但在書寫「一周內未來宣言」時，偶爾期待能「坐享其成」也無妨。有些會議總是意見分歧、爭執不休，遲遲無法提出結論。像這種時候，可以寫下「有人提出不錯的意見，使會議取得共識。」雖然有點期待坐享其成，但有也可能讓自己在潛意識中做出某些行為，**在開會時引導他人提出有建設性的意見**。

順帶一提，有些會議會變成主管和與會人員冗長的報告時間，甚至令人質疑「這種會議一點意義都沒有」，對於原本就十分忙碌的人而言，出席會議反而更會感到焦躁不安。結果開會並不是為了取得大家共識，只是花時間「消除主管的不安」而已。

不過，只要用不同的角度來看待會議，就能使焦躁不安的心情平復一些。此時不妨一邊聽著會議進行，一邊偷偷地著手整理手帳吧！

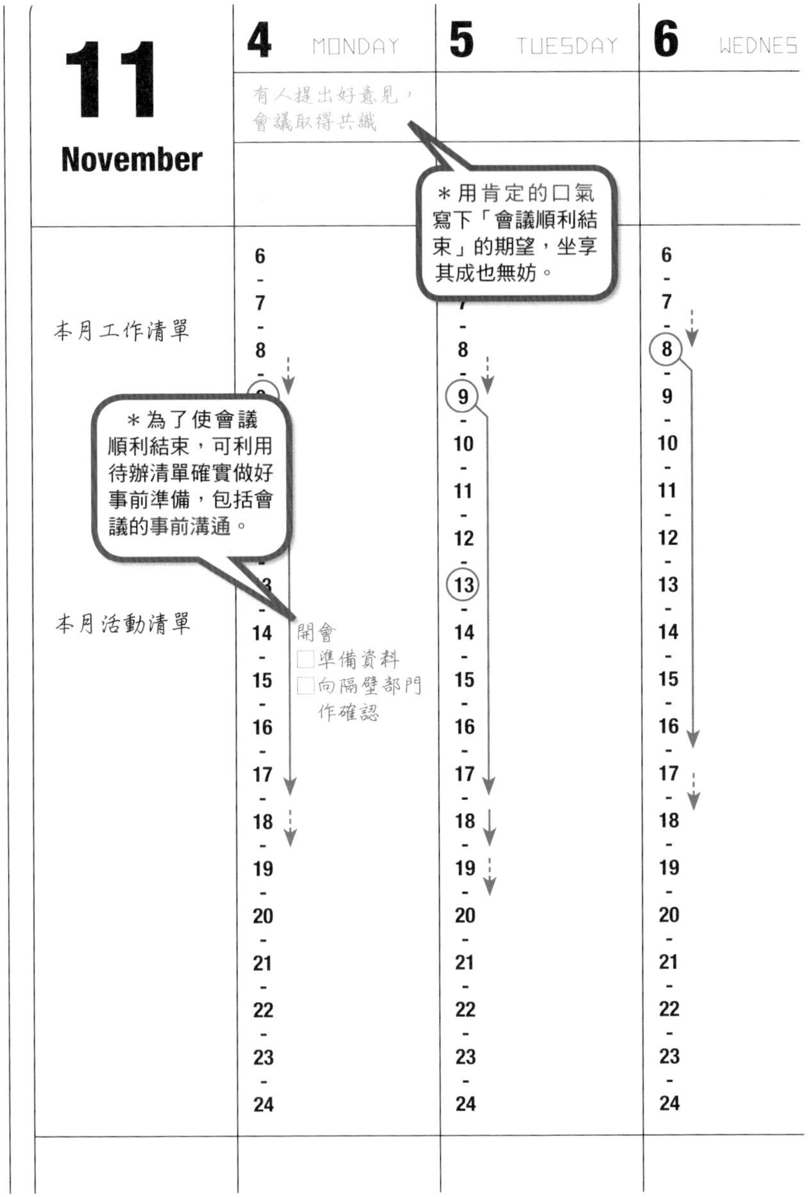
11
November
4 MONDAY
5 TUESDAY
6 WEDNES
有人提出好意見，
會議取得共識
＊用肯定的口氣寫下「會議順利結束」的期望，坐享其成也無妨。
本月工作清單
＊為了使會議順利結束，可利用待辦清單確實做好事前準備，包括會議的事前溝通。
本月活動清單
開會
準備資料
向隔壁部門作確認

結語

寫一本好手帳，找回一百分的人生

很久以前，手帳給人的印象，大多以可放入西裝口袋的小型手帳，都寫滿了工作上的待辦事項。而且內頁配置幾乎都是一頁為周計畫表，一頁為筆記頁的設計（參考P21）。

但是近四～五年來，「直行」與「每日型」的手帳，特別受到年輕上班族的喜愛。「直行」的特色，就是方便以每三十分鐘為單位，安排每一天的詳細預定行程；而「每日型」則是一天一頁，因此做筆記的空間綽綽有餘，可將繁多的預定行程或待辦清單記上去。當然，這些手帳都比「一頁周計畫、一頁筆記」來得厚重，所以塞不進西裝胸口的口袋裡。

或許有人會認為，「這只是手帳的流行趨勢」，但事實上這也能**反應出上班族或粉領族的困擾**，例如個人工作量增加、工作複雜化、資訊處理量的增加等等。

過去只要坐在辦公桌前，只要把主管派下來的工作做完就好，但是隨著上班族多工化，工作型態變得愈來愈複雜，多元，每天必須處理的電子郵件，更是大量超越一般函件，即使提倡「工作與生活的平衡」聲浪不斷，有時連周六日也無法好好放鬆。

一九八〇年代後期，勞動過度所引起的「過勞死」社會問題，不但是日本特有的現象，歐美也面臨了同樣的危機。然而，這種現象並未獲得改善，近年來更衍生出「新型憂鬱症」、「黑心企業」等名詞，更加突顯出每個人都要善待自己的重要性。

現今「過勞死」並不是陌生的現象，所以你更需要知道如何用手帳**管理生活和工作**，將手帳當作武器，用筆記術管理並整理你的人生，確保在工作之餘，你還有力氣過屬於自己的時間。

上班族不帶手帳，就像沒帶地圖或武器上戰場一樣。放在包包裡的手帳雖小，卻是最有力的後援，也一定能幫助各位在社會的滾滾洪流中全身而退。而每天記載在手帳裡的幸福時光與成長印記，相信各位一定都能確實感受得到！

佐藤惠

★ 快去挑一本手帳，現在就體驗100分的人生！

職場通 職場通系列016

【圖解】一寫就成真！神奇高效手帳筆記術

4色手寫＋40種記事提案，第一本真正教你如何寫手帳的工具書
手帳という武器をカバンにしのばせよう

作　　者　佐藤惠
譯　　者　蔡麗蓉
主　　編　賴秉薇
封面設計　張天薪
內文排版　菩薩蠻數位文化有限公司

出版發行　采實出版集團
業務部長　張純鐘
企畫業務　王珉嵐・張世明・楊筱薔
會計行政　賴思蘋・孫瑩珊
法律顧問　第一國際法律事務所　余淑杏律師
電子信箱　acme@acmebook.com.tw
采實官網　http: //www.acmestore.com.tw
采實文化粉絲團　http: //www.facebook.com/acmebook

ISBN　978-986-9030-79-3
定　　價　300元
初版一刷　2014年12月4日
劃撥帳號　50249912
劃撥戶名　核果文化事業有限公司
100台北市中正區南昌路二段81號8樓
電話：（02）2397-7908
傳頁：（02）2397-7997

國家圖書館出版品預行編目資料

【圖解】一寫就成真！神奇高效手帳筆記術：4色手寫＋40種記事提案，第一本真正教你如何寫手帳的工具書／佐藤惠著；蔡麗蓉譯-初版- -臺北市：核果文化,民103.12面；公分.--（職場通系列；16）譯自：手帳という武器をカバンにしのばせよう

ISBN　978-986-9124-01-0

1.筆記法
019.2　　103022219

核果文化
CORE PUBLISHING

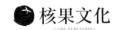